인생은 찬란한 슬픔이더라

신복룡의 자전 에세이

인생은 찬란한 슬픔이더라

글을읽다

서 문

대학 저학년 시절에 누구나 다 그렇듯이 꿈도 있고 낭만도 있을 무렵, 우리에게는 이것저것 아무거나 닥치는 대로 읽던 남독(濫讀)의 시대가 있었다. 어쩌면 지적(知的) 방황이었고, 달리 보면 탐구심일 수도 있지만, 어떤 책을 읽느냐의 문제는 그 책을 만난 인연이었지 어떤 목표나 선명한 야망이 있던 것은 아니었다. 그런 점에서 보면, 무슨 책을 읽는가의 문제는 다분히 인연이고 운명적인 데가 있다. 역사에 보면, 젊은 날에 무슨 책을 만난 것이 인연이 되어 자기의 운명이 그렇게 흘러갔다는 사람이 어디 하나둘이던가?

우리가 남독의 시대를 보내던 시절에 그리 특별난 출판사가 있었던 것은 아니었다. 지금까지 운영되는 몇몇 유명한 출판사가 펴낸 서양의 문학작품을 많이 만났는데 그중에서도 중·고등학교에서 흔히 들어 귀에 익은 명작들을 먼저 읽었다. 나는 을유문화사의 세계교양전집과 세계문학전집을 좋아했는데, 그 가운데서도 라 로슈푸코(François de La Rochefoucauld, 1613~1680)의 『잠언』(*Maxim*, 1665)을 좋아했다.

프랑스의 궁정 귀족이며, 사교계의 선남(善男)이었던 그는 궁정의 부귀와 음모, 생사와 온갖 염문을 겪은 뒤 삶의 회의(懷疑)와 무상을 느끼며 틈틈이 단편(斷片, fragment)을 써 익명으로 발표했는데, 선풍적인 인기를 끌자 다시 파리 사교계에 등장했던 문인이다. 수재였던 그는 아마도 그리스의 수사학에 심취했을 터이지만, 인생의 의미를 어쩌면 그렇게 단문으로 촌철살인(寸鐵殺人)할 수 있을까 하는 느낌을 깊이 받았다.

****

내가 라 로슈푸코를 좋아했었기에 나의 언행과 글에 그의 냄새가 많이 묻어나리라는 것을 나는 잘 알고 있다. 특히 강의 시간이나 글의 서문을 쓸 때면 '내가 그를 흉내내고 있구나' 하는 생각을 많이 했다. 나는 전공과목을 강의할 때 전공에 충실한 것에 못지않게 이렇게 스스로에 묻곤 했다.

"그래, 이 이야기가 강의를 듣는 학생들의 미래에 무슨 의미가 있고, 무슨 교훈이 되는가?"

대학의 강의는 그것이 수의학이든 이화학이든 아니면 기계공학이든, 그 주제와 관계없이 인생을 담아야 한다는 것이 내 대학 생활 30년의 확고한 자세였다. 하물며 사회과학이나 인문과학임에랴. 얼굴을 마주하고 피부로 느끼며 들려주는 강의가 메말라서는 안 된다. 인간미, 애환, 인정 가화(佳話), 미담, 후회, 실패의 교훈, 진정한 덕성, 인간 사회의 비정함과 교활함, 배덕(背德)과 패덕(悖德), 슬픔과 원망, 선악 그 모든 것이 교훈이다. 그런 점에서 나의 강의는 결코 엄숙주의에 함몰되지 않았다.

나는 그와 같은 가치들에 더 비중을 두었다고는 할 수 없지만, 그것을 결코 소홀히 여기지 않았다. 그래서 나의 강의 노트나 교재에는 그런 예화들로 가득 차 있다. 아직 우리 사회에서는 비전공과 비본질적 예화들을 강의 교재에 담을 수 있는 분위기가 아니다. 그러나 나는 벅크홀츠(Todd G. Buchholz) 가 쓴 『죽은 경제학자의 살아 있는 아이디어』(*New Ideas From Dead Economists : An Introduction to Modern Economic Thought*, 1989)처럼 강의하고 싶었다.

****

"인생의 한평생이 70세요, 장수하면 80세인데"(「시편」 90 : 10), 내가 이 병약한 몸으로 "한창 일할 나이에 죽지 않게 하시어"(「시편」 102 : 24) 80세가 넘도록 살게 하셨으니 감사하며, 이제 망구(望九)의 나이를 지나면서 내 학문이랄 것까지는 못 되지만, 내가 한세상 살다 간 흔적으로서의 언행을 남기고 싶다.

이 책은 내 연구 서적에는 없는 이야기들을 위주로 하여 엮은 것이다. 이런 이야기들이 나에게서 들은 후학이나 친지들의 기억에만 남는다면 내가 다 가르치지 못하고 떠나는 내 손주들과 나를 듣도 보도 못한 내 후학[孫學]들에게 남겨 줄 길이 없을 것 같다. 그래서 이 글을 쓴다.

이 글들은 내가 보고 듣고 겪고 읽은 이야기들이다. 이 가운데 읽은 것의 출처가 생각나지 않는 이야기와 기록들이 있다. 나는 이런 부분들이 표절의 시비에 얽히지 않기를 진심으로 빈다. 생각이 나지 않을 뿐이지 남의 글을 내 말처럼 쓰고 싶은 생각은 추호도 없었다. 이 글이 나의 후학들에게 작은 옹달샘이라도 되면 좋겠다.

2024년 입춘에
신복룡 씀

목차

05 종교에 관한 이런저런 이야기 • 235

06   내가 보고 듣고 겪은 슬프고도 아름다운 이야기 • 279

잠시 쉬어 가는 시(詩)

잠시 쉬어 가는 글

01

내가 살면서 겪은 이야기

아버지의 추억과 정지용의 〈향수〉(鄕愁)

정지용(鄭芝溶)의 시 〈향수〉는 언제 읽어도 좋고, 그 노래는 언제 들어도 좋다. 언제인가 한번 가 보고 싶던 터에 옥천(沃川)을 여행하다가 정지용 문학관에 들렀다. 앞에는 실개천이 흐르고 있었다. 입장을 하니 안내원이 방명록에 한 말씀 적어달라기에 얼떨결에 "아버지가 그립다."라고 쓰는데 나도 모르게 콧등이 시큰해지면서 눈앞이 흐려졌다. 나는 무슨 병인지, 엄마보다 아버지가 더 그립다.

아마도 1950년 7월, 내가 초등학교 3학년이던 어느 날이었던 것 같다. 어디서 뭐가 터지듯이 우르렁거리는 소리가 들렸다. 아버지가 말씀하셨다.

"남포 소리인가?"

그 시대는 지금의 다이너마이트를 남포라 했다. 그때까지도 전쟁이 일어난 것을 모르고 있던 시골 농부들은 별일 아닌 듯이 밭일을 하러 나갔다. 삼팔선에서 전투가 벌어졌다는 얘기는 늘 듣던 일이니 그러려니 했다. 학교에 갔다 오니 엄마가 나를 부르며 아버지에게 점심 드시러 오라고 심부름을 보냈다. 아버지가 땡볕에서 콩밭을 매고 계셨다. 내가 아버지 곁으로 다가가는데 갑자기 쌕쌕이[제트기] 소리와 함께 기관총 소리가 요란하게 들렸다. 그러더니 천지가 요동하는 듯한 소리가 들렸다.

아버지가 소리치셨다.

"전쟁이 났나부다."

아버지는 나를 밭고랑에 눕히고 암탉이 병아리를 품듯이 나를 몸으로 덮으셨다. 타는 듯한 염천의 콩밭에서 천하장사인 아버지의 밑에 깔려 짓눌린 여덟 살짜리 소년은 곧 숨이 넘어갈 것 같았다. 나는 아버지의 적삼을 붙잡고 달달 떨고 있었다. 얼마의 시간이 지나고 총소리와 비행기 소리가 들리지 않자 아버지가 나를 세워 앉히셨다. 아버지는 자신이 기관총을 맞더라도 아들을 보호하겠다는 심정에서 본능적으로 나를 덮치셨다. 이것이 내 기억 속의 부정(父情)이다.

온몸이 땀으로 범벅이 된 것보다 그 쌕쌕이 소리에 대한 공포가 나에게는 더 무서웠고, 그 소리와 장면은 평생 잊히지 않는다. 조정래(趙廷來)의 소설 『불놀이』인가, 『유형의 땅』에 등장하는 그 교장 선생님은 한국전쟁 때 포성에 놀란 뒤로 어른이 되어서도 큰 소리만 들리면 교탁 밑으로 숨는데, 겪어 보지 않았다면 상상하기 어려울 것이다. 70여 년이 지난 지금도 나는 그 비행기 공습의 꿈을 꾼다.

괴산에는 도심에 큰 내가 흐르는데 그 시대에 제법 큰 역말다리[驛馬橋]가 놓여 있었다. 그 다리 바로 건너에 홍명희(洪命熹)의 집이 있었고 그 옆집이 이능화(李能和)의 집이었다. 어렸을 적에 그 역말다리를 처음 건너는데 나는 무서워서 아버지 등에 업혀 다리 한가운데로 지나갔다. 미군은 먼저 수안보(水安堡)의 병참을 차단하려고 그 역말다리를 폭격했는데 '삐식구'[B-29]라는 것을 그때 처음 보았다. 폭격 소리는 천지가 진동하는 것 같았고, 저공비행을 하는 그 시커먼 모습과 굉음이 평생 꿈에서 가위를 눌렀다.

곧이어 북한군이 내려왔다. 우리는 숨어 있다가 학교에 불려 나갔다. 검은 치마를 입은 여선생님이 포플러나무 밑에 칠판을 걸고 가르치고 우리는 맨땅에 앉아 수업을 들었다. 남한 책을 보지 말아야 했기 때문에 책이 없어 노래 시간이 더 많았다. 어제까지 소작농이었던 사람들이 인민위원회의 완장을 차고 자유로운 세상이 되었다고 으스대면서 아버지에게 자랑했다.

얼마가 지나 인민위원들이 보이지 않더니 트럭 소리가 요란하게 들렸다. 전쟁이 계속되면서 학교는 휴교하고 내가 다니던 명덕(明德) 국민학교에는 북진하는 미군이 주둔했다. 인민군이 밀려가고 국군이 북진하면서 피란 갔던 우익들이 돌아왔다. 농민들은 다시 거리에 나아가 만세를 부르며 그들을 환영했다.

인민군 치하에서 이른바 부역한 양민들에 대한 무자비한 복수 살인이 벌어졌다. 피해자들 가운데에는 무고한 사람들이 많았다. 우리 집은 경찰서 옆에 있었는데 밤이면 고문을 못 견뎌 외치는 고통 소리가 들려 잠을 이룰 수 없었다. 그 비명을 들으며 짚신을 삼던 아버지가 말씀하셨다.

"저게 왜정시대 때 쓰던 매인데, 황소 ○○를 말려 만든 것이란다. 저걸 물에 불려 때리면 살점이 묻어 나와 쇠사슬로 때리는 것보다 더 아프단다."

보도연맹(保導聯盟)이 소식을 보도(報道)하는 기관인 줄 알고 갔다가 부역자로 몰린 사람도 있고, 강연회에 나오면 비료 표를 준다는 구장[里長]의 말을 믿고 나갔다가 빨갱이로 몰려 죽을 고문을 겪은 양민들도 많았다. 나의 아버지도 그 가운데 한 분이었다. 아버지는 그때의 고문으로 평생 오만 삭신이 쑤시는 고통을 겪다가 그 문광면(文光面) 지서 주임을 원망하며 세상을 떠나셨다.

돈이 없어 학교를 진학하지 못한 나는 아버지와 함께 산에 나무를 하러 가면 쉬는 시간에 돌 팔매질을 했다. 아버지는 천하장사에 왼손잡이였는데 중학교 졸업생인 내가 이길 때가 있었다. 그때는 이미 노쇠하신 터라 내가 이겼는지, 아니면 아버지가 져주셨는지는 모르겠다. 아버지는 내심 기쁨을 숨기지 못하셨다. 그 추억이 애잔하게 내 머리에 오래 남아 있다.

어쨌거나 나는 던지기에 특별한 소질이 있었다. 중학교 시절에 느티울로 소풍을 갔는데, 그때는 으레 수제비 뜨기나 멀리 던지기를 했다. 강 건너까지 돌이 넘어가는 것은 나뿐이었다.

내가 서울에서 태어나 하고 싶은 길을 갔더라면 어쩌면 야구 투수가 되었을지도 모른다. 그러나 마음이 여려 단체전에서 동료에 대한 부담감 때문에 휜 볼을 많이 내주고 강판했을지도 모른다. 펜싱 선수가 되었더라면 단체에 대한 부담이 없어 성공했을지도 모른다. 나는 영화 〈기사도〉의 장 마레(Jean Marais)를 우상처럼 좋아했다.

추억은 참으로 질기게 우리를 따라다닌다. 목청이 미성이었던 아버지는 동네에서 이야기책 읽는 데 소문난 명인이었다. 나는 "짚베개를 돋아 고이며" 가락을 넣어 책을 읽으시는 아버지의 품에 안겨, 심청이가 인당수에 빠지는 대목을 읽을 때 나도 훌쩍거리고 동네 아저씨들도 탄식하던 추억을 가장 아름다운 아버지 모습으로 기억하고 있다.

아버지가 자식에게 아름다운 추억을 남겨 주는 것이 얼마나 소중한 유산인가? 추억은 지친 이를 위로해 준다. 추억은 아름다운 것이어야 하며 슬픈 추억은 그저 앙금 같은 기억일 뿐이다.

아버지의 유산
『옥단춘전』(1951)

태어남/소년 시절

　내 일생은 늘 겨울 새벽에 먼 길 떠나는 사람처럼 스산하고 쓸쓸했다. 나는 늘 춥고 외로웠다. 나는 이렇게 살아온 내 일생에 연민을 느낀다.

엄마의 추억

　나의 어머니는 곱고 착하기만 한 여인이었다. 딸 부잣집에 4대 독자, 쉰둥이로 나를 낳았으니 자식 성화가 오죽했을까? 아버지는 나의 탯줄을 이로 깨물어 끊었다고 한다. 귀한 아들의 몸에 쇠붙이를 대기 싫었고, 또 그래야 수명이 길다고 한다. 초등학교에 갔다 오면 나는 엄마 젖을 빨며 국어책을 흥얼거렸고, 엄마는 나오지도 않는 젖을 물린 채 바느질을 하셨다. 태어났을 때부터 젖이 안 나와 이웃집 영택이 엄마에게 젖동냥을 했고, 엄마 없이 보챌 때면 시집도 안 간 누나가 젖을 물려 달래며 키웠다고 한다.
　그런데 내 생애에서 가장 비극적인 일은 성장한 뒤에 그 엄마가 보고 싶은 적이 없었다는 사실이다. 아버지는 원 없이 살다 가신 분이셨고, "여자가 많았다." 엄마가 젊은 날에 얼마나 가슴앓이를 했을까, 충분히 이해할 수 있다. 두 분이 싸우다가 엄마가 졸도하면 나는 그 어린 나이에 별빛도 없이 개구리 소리만 들리는 논두렁을 따라 침놓는 김 법사를 부르러 달려갔다. 그 밤길이 얼마나 무섭던지…….
　그러나 만년에 돈 없고 힘없는 아버지에 대한 엄마의 복수에 나는 전율했다. 엄마가 무서웠고, 여인이 무서웠다. 그런 모습을 본 뒤에 다정하게 엄마를 불러 본 기억이 없다. 나의 이런 고백이 나의 불효를 호도할 수는 없다. 그런데 참으로 알 수 없는 것은, 아버지가 세상 떠나셨을 때, 엄마는 자식들보다 더 섧게 우셨다.

"나는 이제 어찌 살라구……."

1983년, KBS에서 〈이산 가족 찾기〉 캠페인이 있었다. 세계 최장 생방송 중계의 기록을 세웠다. 어느 날 방송에서 자식을 버리고 간 엄마와 딸이 만났다. 엄마는 자식을 버린 죄책감에 비구니가 되어 있었다. 엄마가 울며 말했다.

"엄마라고 한번만이라도 불러줄래?"

그러나 그 딸은 끝내 엄마라고 부르지 않았다. 이 장면이 화제가 되어 〈엄마라 불러 다오〉라는 노래와 영화가 나왔던 것으로 기억한다. 그때 나는 혼자 쪽방에 들어가 많이 울었다.

내가 세상 여자들의 유혹에 빠지지 않은 것은 행실이 정숙해서가 아니라 여인공포증(femi-phobia) 때문이었다. 지금의 아내와 이혼하고 자기와 살자는 여인도 있었다. 그런데 그 여인이 그리 무서울 수가 없었다.

〈KBS 이산 가족 찾기〉
"그래, 오빠, 맞아"

어머니에 대한 오해

어머니는 엄마가 보고 싶지 않은 줄 알았습니다.

어머니는 첫사랑이 없는 줄 알았습니다.

어머니는 친구도 없는 줄 알았습니다.

어머니는 몸이 아프지 않은 어떤 특별한 몸인 줄 알았습니다.

어머니는 어렸을 적부터 아무런 꿈이 없는 줄 알았습니다.

어머니는 새벽에 일어나 밤늦게 주무시는 체질인 줄 알았습니다.

어머니는 반찬 없는 찬밥을 잘 잡수시는 분인 줄 알았습니다.

어머니는 짧은 파마머리만 좋아하시는 줄 알았습니다.

어머니는 얼굴이나 몸매에 전혀 관심이 없는 줄 알았습니다.

어머니는 아무런 불만이 없는 줄 알았습니다.

어머니는 우리가 당신께 전화를 길게 하는 것을 싫어하시는 줄
　　　알았습니다.

어머니는 언제까지나 우리 곁에 계실 줄 알았습니다. (google)

향수(鄉愁)

정지용(鄭芝溶)

넓은 벌 동쪽 끝으로
옛이야기 지즐대는 실개천이 휘돌아 나가고,
얼룩백이 황소가
해설피 금빛 게으른 울음을 우는 곳,
　　　그곳이 차마 꿈엔들 잊힐 리야.

질화로에 재가 식어지면
비인 밭에 밤바람 소리 말을 달리고,
엷은 졸음에 겨운 늙으신 아버지가
짚벼개를 돋아 고이시는 곳,
　　　그곳이 차마 꿈엔들 잊힐 리야.

흙에서 자란 내 마음
파아란 하늘빛이 그리워
함부로 쏜 화살을 찾으려
풀섶 이슬에 함추름 휘적시던 곳,
　　　그곳이 차마 꿈엔들 잊힐 리야.

전설 바다에 춤추는 밤물결 같은
검은 귀밑머리 날리는 어린 누이와
아무렇지도 않고 예쁠 것도 없는
사철 발 벗은 아내가
따가운 햇살을 등에 지고 이삭 줍던 곳,
　　　그곳이 차마 꿈엔들 잊힐 리야.

하늘에는 성근 별
알 수도 없는 모래성으로 발을 옮기고,
서리 까마귀 우지짖고 지나가는 초라한 지붕,
흐릿한 불빛에 돌아앉아 도란도란거리는 곳,
　　　그곳이 차마 꿈엔들 잊힐 리야.

가난과 허기

나는 아내의 짐꾼 노릇을 하느라고 가끔 경동시장 어물전을 따라간다. 아내가 시시콜콜 맛과 값을 따지는 동안 나는 멀거니 서서 세상을 배운다.

그곳에서는 그리 누추하지 않은 노인이 자주 눈에 띈다. 손에는 작은 물병이 들려 있다. 그는 가게마다 들러 시식 코너에 있는 젓갈이며 이것저것을 이쑤시개로 찍어 먹고 물을 마신다. 그가 너무 많이 먹는다 싶으면 주인이 와서 말한다.

"오늘은 그만 드시지요."

그러면 그 노인은 다른 가게로 간다. 노인이 떠난 다음, 주인이 나에게 말했다.

"저분은 저게 식사예요."

이 대명천지에, 언필칭 세계 10대 부국에서 어찌 이런 일이 있을 수 있는가? 세계 기아 지수(Global Hunger Index, GHI)에 따르면 세계의 식량 생산량은 굶주리고 있는 지구인 모두가 먹고 남는다. 그러나 지금 세계 인구의 11%가 허기진 채 잠자리에서 뒤척거린다.

그대는 굶어 보았는가?

부잣집 아들이 나에게 물었다.

"너 굶어 봤니?"

나는 고개를 끄덕거렸다.

그러면 그가 다시 물었다.

"굶으면 어떠니?"

"……."

참 잔인한 질문이다. 나는 뭐라고 대답을 할 수 없었다. 굶으면 기운이 없다고? 굶으면 서럽다고? 모두 괜한 소리요, 굶어 보지 않은 사람의 이야기이다. 배가 고프면 가장 고통스러운 것이 잠이 오지 않는다는 점이다. 먹는 것의 기쁨이 형이하학적이라면 굶주림의 슬픔은 형이상학적이다.

배가 너무 고파 고드름을 따먹었다. 부잣집 아들이 말했다.

"어차피 녹을 건데 물을 마셔."

나는 차마 대꾸를 못 했다. 나는 속으로 울면서 말했다.

"물은 씹는 맛이 없잖아……."

보릿고개라면 다 굶어 죽는 줄 알지만, 그것도 겪어 보지 않은 사람들의 이야기이다. 오히려 보릿고개에는 허기를 면할 수 있다. 아까시꽃 다섯 송이면 우선 허기는 견딜 수 있다. 입이 빨개지도록 진달래꽃을 따먹는 방법도 있고, 칡처럼 탄수화물과 당도가 높은 간식도 있다.

가끔 먹기는 하지만 돼지감자는 무척 아리다. 지금은 보기 어렵지만, 그때는 밭두렁에 메라는 뿌리식물이 있었는데 골짜기의 흐르는 물에 씻어 먹으면 당도가 높고 씹는 맛도 좋았다. 무 서리며 고구마 서리, 밀 서리는 큰 죄의식 없이 해냈다. 속이 좋지 않아 변소라도 자주 갈라치면 엄마가 말씀하셨다.

"오줌을 참으면 병이 되지만, 똥을 참으면 배가 덜 꺼지는데, 웬 변소를 그리 자주 가니?"

메 뿌리

배 꺼진다고 뛰지도 못하게 했다. 단백질은 미꾸라지와 메뚜기와 개구리 뒷다리와 올갱이(민물 소라)로 채워 겨우 영양실조를 비켜 갈 수 있었다. 1940~50년대 우리의 소년 시절은 그렇게 지나갔다.

오늘날 세계 어린이의 25%가 발육 부진과 체중 미달이다. 강대국에서는 세계 인구가 먹고 남을 식량을 생산하는데 왜 사람들은 굶주리는가? 그들이 먹고 남아 버리는 음식, 이른바 잔반(殘飯)만 아껴도 아프리카는 굶지 않는다. 파키스탄 중산층의 영양 상태가 한국 애완견의 영양 상태보다 나쁘다. 중세 유럽이나 조선의 양반들은 종일 먹다 배가 차면 나가서 토하는 시간이 있었다. 그리고 와 다시 먹었다. 그 죗값을 어디 가서 다 받으려나?

"굶주리지 않게 하옵시고⋯⋯."

(Core te Quaerentium, 『가톨릭 성가』 169번)

보리싹을 베어오다(刈麥)

이달(李達)

밭에 나간 며느리는 저녁 끼니가 없어

田家少婦無夜食(전가소부무야식)

비 맞으며 익지도 않은 보리를 잘라 나뭇가지에 싸서 돌아왔건만

雨中刈麥林中歸(우중예맥림중귀)

생나무는 물기에 젖어 불을 붙일 수 없고

生薪帶濕烟不起(생신대습연불기)

삽작에 들어서니 딸 녀석은 옷깃을 잡고 칭얼대누나

入門兒女啼牽衣(입문아녀제견의)

* 이달(李達 : 1539~1612)은 원주에서 서출(庶出)로 태어난 천재 시인이었다. 그는 평생 벼슬에 오르지 못하고 시객(詩客)으로 기식하였는데, 위의 시는 당대의 명망가인 최경창(1539~1583)에게 보낸 것이다. 최경창은 조선 최고의 기방(妓房) 문학가인 홍랑(洪娘, ?~?)과의 사랑으로 유명하다. 최경창의 후손들은 홍랑을 관기(官妓)가 아니라 서모로 여겨 최경창의 곁에 묻어주었다. 파주군 교하읍 다율리에 그들의 묘가 있다.

병약한 소년

나는 늘 병약했다. 30~40대의 체중이 57kg이었다. 지금은 77kg
이다. 그때나 지금이나 키는 1m78cm이다. 나이가 드니 키가 조금
줄었다. 저체중일 때는 바람 부는 날이면 직립 보행이 불편했다. 어
렸을 때 친구들은 나를 못 알아본다. 그들은 나에게 어떻게 그리 건
강이 좋아졌느냐고 묻는다. 실제로 지금 나의 건강은 40대 시절보다
좋다. 건강의 비결을 묻는 친구들에게 나는 별생각 없이 이렇게 대
답했다.

"젊어서 잔병치레를 많이 해서 그런가 봐."

무심결에 한 말인데 그런 명답이 없다. 지금 건강이 많이 좋아진
것은 담배를 끊은 것이 결정적이었고, 자가용을 처분한 것과 무관하
지 않은 것 같다.

나를 슬프게 하는 것들

유학을 떠나기 전날 밤, 막내딸은 내가
세계 여행을 하면서 모아 두었던 각국 동
전통을 뒤져 몇 센트의 미화를 찾아 지갑
에 넣었다. 그것을 못 본 체하며 돌아서 내
방에 들어오니 볼에 눈물이 흐르고 있었
다. 나는 내 멋에 청빈하게 산답시고 내 이
름으로 연구비 한번도 탄 적이 없지만, 가

알프레드 마셜

난을 자식에게 물려준 죄책감이 나를 오래도록 괴롭혔다.

가난은 죄가 아닐지 모르나, 몹시 불편하다. 케임브리지 경제학파의 아버지 앨프레드 마셜(Alfred Marshall)의 『경제학 원론』(*The Principles of Economics*)에서 "이 사회에 저지르는 악행의 밑바닥에는 가난이 깔려 있다."(Poverty is at the root of many social evils.)라는 귀절을 읽은 생각이 난다. 부잣집 할머니와 구멍가게 집 할머니는 경로당에 가도 앉는 자리가 다르다.

켈로이드 증후군

세상을 살다 보면 마음 다치는 일이 어디 한두 번인가? 그 상처는 오래간다. 나는 켈로이드(keloid)라는 특이병 환자이다. 이런 환자는 피부에 상처를 입으면 곧 아물지 않고 오래 고생한다. 그렇다고 혈우병도 아니다.

수술을 받고 나면 상처를 아물게 하려고 스테로이드를 엄청나게 많이 쓸 수밖에 없다. 그러다 보니 장내의 유익한 세균까지 모두 죽어 몇 달 동안 다시 설사로 고생해야 한다. 그래서 탈수증으로 고생하던 때의 일이 버릇이 되어 지금도 늘 물병을 들고 다닌다. 나는 육체적으로도 켈로이드 환자이지만 정신적으로도 켈로이드(mental keloid) 환자이다. 상처받은 것을 잊을 수 없다.

내 생애의 10대 사건

1) 한국전쟁 - 나 혼자만의 고생이었을까만, 가난한 사람들에게 전쟁은 더 혹독했다. 그때 겪은 악몽으로 지금도 잠자리에서 비행기 소리와 포탄 소리에 가위눌림을 겪고 있다.

2) 가난했던 어린 시절 - 나는 중학교를 졸업하고 진학을 못해 서울 을지로 7가 시구문 시장 가게에서 점원 노릇을 했다. 그 뒤로 어렵게 대학을 마쳤다. 염색한 군복이 교복이었고, 백만장자인 지도교수님이 버린 구두를 1년 넘게 신었다. 그런 추억이 있어 제대할 때 입고 나온 야전 점퍼를 물들여 즐겨 입었는데, 아내가 누추하다고 버렸다. 얼마나 아깝던지…….

3) 결혼 - 내 인생에서 가장 중요한 사건은 결혼이었다. 내 아내가 절세가인도 아니고, 열쇠 세 개를 가져온 여인도 아니다. 독립운동가의 딸로서 꿋꿋하게 살았고, 결점도 있지만, 장점도 많다. 10년의 강사 시절, 아내에게 얻어먹고 살며 마음이 매우 괴로웠다. 아내가 제 남편을 먹여 살리게 되면 분노와 뻔뻔스러움과 커다란 수치가 있을 뿐이다. (「집회서」 25 : 22)

지나고 보면 추억이지만 겪을 때는 슬픔이다. 내가 학자로서 이룬 것의 절반은 내 아내의 몫이다. 아내의 꿈은 벽난로가 있는 거실에서 흔들의자에 앉아 손주들에게 동화나 『성경』을 읽어주는 것이었다. 그래서 미국에서 귀국하는 길에 벽난로 도구를 사 왔지만 40년이 지난 지금까지 그 소원을 들어주지 못했다. 『구약성경』「잠언」

의 마지막 귀절과, 천주교 『외경』 「집회서」의 36장은 "장가 잘 가라."는 당부로 끝난다.

4) KBS와 〈아침의 메아리〉 - 1976년부터 1979년까지 일요일을 제외하고 매일 아침 7:00~05분에 KBS 라디오에서 〈아침의 메아리〉라는 제목으로 그날의 역사, 시속(時俗), 출생했거나 사망한 인물, 책 이야기를 방송했다. 50여 년이 지난 지금도 그때의 청취자들로부터 전화와 편지가 온다. 돌아보면 그때 참으로 행복했다.

박정희(朴正熙) 대통령이 좋아하여 아침이면 수행비서에게 트랜지스터를 들리고 뒷산을 산책한다는 말을 들은 KBS 사장 최세경(崔世卿) 씨가 출연료를 특급으로 올려줘, 부동산 투기가 일어나기 직전에 겨우 왕십리에 세 칸 누옥(陋屋)을 마련했다. 책이 출판되어 박 대통령에게 발송한 날짜가 1979년 10월 24일이었다. 아마 못 받았을 것이다. 그 따님이라도 받았으려나?

5) 교수 시절 - 대학 교수가 된 것, 그리고 Best Teacher Award를 네 번 연속 탄 덕분에 석좌교수가 되어 남보다 5년 더 대학에 머물러 있었던 것을 감사하게 생각한다. 그동안이 내 생애에서 가장 행복한 시간이었다. 내가 건국대학교에 머문 것은 52년이다. 짧게 산 사람의 한평생 길이이다. 가족도 추스르지 못할 내가 교수가 된 것은 과분한 축복이었다.

6) 미국 유학 시절 - 그리 긴 시간은 아니지만, 그 시간에 나는 넓은 세상을 보았고, 학문의 지평을 넓혔다. 정치학도로서 내가 미국 연

방문서보관소(NARA)에서 공부한 1세대라는 것에 자부심을 느낀다.

7) 저술 – 2001년에 미국에서 가져온 자료로 쓴 『한국분단사연구 : 1943~1953』(한울출판사)로 한국정치학회 학술상을 탔고, 그 뒤 10년이 지난 2011년에 『한국정치사상사』(지식산업사)로 한국정치학회에서 인재(仁齋) 윤천주(尹天柱) 학술상을 탔다. 자랑이 아니라, 열심히 산 내가 고맙다. DBPia에 수록된 연구 실적에 보면 나는 한국정치학계 상위 5%이다.(2024. 5. 10. 현재)

8) 미주/마야(Maya)의 정년 퇴임 기념 여행 – 2007년에 정년 퇴직을 하자 그동안 처자식 벌어먹이느라고 고생했다면서 아내가 미국 종단과 남미 멕시코의 유카탄 반도 여행을 시켜주었다. 3주 동안 셋째 아이 부부와 함께했던 시간이 내 생애에 가장 아늑한 시간이었다.

9) 자식들과의 행복 그리고 아픔 – 나는 아들 하나에 딸 둘을 두었다. 그리고 손주가 여섯이다. 즐겁고 아린 추억을 여기에서 글로 다 표현할 수가 없지만, 결혼과 자식은 찬란한 슬픔과 기쁨이다.

10) 허약과 대인기피증 – 나는 평생 병치레를 많이 했다. 40년 동안 두통에 시달렸다. 내가 교수 생활을 하면서 가장 고통스러웠던 것은 수줍음이었다. 그 몸으로 교수직을 대과 없이 마친 것이 감사하고 대견하다.

직녀(織女)에게

문병란(文炳蘭)

이별이 너무 길다.
슬픔이 너무 길다.
선 채로 기다리기엔 은하수가 너무 길다.
단 하나 오작교마저 끊어져 버린
지금은 가슴과 가슴으로 노둣돌을 놓아
면도날 위라도 딛고 건너가 만나야 할 우리
선 채로 기다리기엔 세월이 너무 길다.
그대 몇 번이고 감고 푼 실을
밤마다 그리움 수놓아 짠 베 다시 풀어야 했는가?
내가 먹인 암소는 몇 번이고 새끼를 쳤는데,
그대 짠 베는 몇 필이나 쌓였는가?

이별이 너무 길다.
슬픔이 너무 길다.
사방이 막혀버린 죽음의 땅에 서서
그대 손짓하는 연인아.
유방도 빼앗기고 처녀막도 빼앗기고
마지막 머리털까지 빼앗길지라도
우리는 다시 만나야 한다.

우리들은 은하수를 건너야 한다.
오작교가 없어도 노둣돌이 없어도
가슴을 딛고 건너가 다시 만나야 할 우리
칼날 위라도 딛고 건너가 만나야 할 우리
이별은 이별은 끝나야 한다.
말라붙은 은하수 눈물로 녹이고
가슴과 가슴을 노둣돌 놓아
슬픔은 슬픔은 끝나야 한다, 연인아.

문병란 선생
가슴이 따뜻한 사람 같다.

이름 짓기

이름을 짓고 부르는 것은 몹시 중요하다. 태초에 창조주와 아담의 대화도 "아담아, 너는 어디에 있느냐?"(「창세기」 3 : 9)라는 부름(calling)에서 시작되었다.

우리나라 경기도 어느 시에 있는 아파트 이름은 팡테옹아파트이다. 보고 들은 것은 있어서 그렇게 지었을 것이다. 세계적으로 팡테옹(Panthéon)은 파리와 로마 두 군데에 있다. 모두 처음에는 신전으로 썼지만 지금은 그 나라 명사들의 납골당으로 쓰고 있다. 그러니까 도심지에 있는 공동묘지이다.

아마도 경기도의 그 아파트 건설업자는 파리인지 로마를 관광하다가 그저 유서 깊은 곳이라는 말만 듣고 이름도 그럴싸하여 한국에 돌아와 자기 회사가 지은 아파트를 팡테옹아파트라고 지었을 것이다. 우리말로 해석하자면 공동묘지 아파트이다. 그 건설업자가 그것을 알 턱이 없다.

나는 아내와 혼인하기 전에 아이는 셋을 낳고 이름은 나리·나라·

파리의 팡테옹

나래로 짓기로 약속해 두었다. 나는 한글 전용론자는 아니지만, 우리 아이 이름을 남의 나라 언어로 짓고 싶지 않았다. 50여 년 전에는 이런 식의 이름이 거의 없었다. 호적 서기는 한자 이름 칸을 채워오라고 출생 신고 서류를 집어 던졌다. 나는 끝까지 싸워 이 이름을 관철했다.

첫아이가 물려줄 학용품이나 책에 한 획씩만 더하면 굳이 이름을 고쳐 쓸 이유도 없다. 나리에 한 획 더 그으면 나라가 되고, 나라에 한 획을 더 그으면 나래가 된다. 이름 지어준 대로 첫아이는 딸이어서 나리(lily)가 맞고, 둘째는 아들이어서 외할아버지처럼 나라에 도움이 되라는 뜻으로 그렇게 지었고, 나래는 내가 헤겔(Georg W. F. Hegel)의 『법철학』 서문에 나오는 "미네르바의 부엉이는 황혼과 더불어 나래를 편다."라는 대목이 좋아 그렇게 지었다.

1978년인가? 서울대학교 국어국문학회가 연례 행사로 치르는 한글 이름 경연대회에서 가족상 부문 특상을 받았다. 아이들이 아마 그 무렵에 이름 때문에 놀림을 받았으리라는 것도 잘 안다. 그 점이 미안하다. 그러나 나는 내 자식들의 이름이 자랑스럽다.

어느 한 대통령은 집권 초기인지 그 직전인지, 정당의 이름을 "새누리당"으로 결정했다는 소문이 돌았다. 그 무렵에 이미 그와 같은 뜻의 신천지(新天地) 교회가 그 대통령과 관련이 있다고 이러니저러니 말이 많던 시기였다. 나는 기겁을 하여 그 대통령의 측근에게 그런 이름을 짓지 말도록 간곡히 권고해 보라고 말했다. 그 이유인즉 "누리"라는 말은 그들이 생각했던 것처럼, "세상"이라는 뜻도 있지만, 그보다 먼저 "재앙"이라는 뜻이 있기 때문이었다.

이를테면, 『구약성경』「출애굽기」에는 광야에서 겪은 메뚜기 떼

누리[蝗蟲]의 습격

의 습격을 "누리"라 했고, 『구약성경』「열왕기」(상) 8장 37절 이하 여러 군데에 "누리"라는 벌레가 나오는데 이는 황충(蝗蟲)을 뜻하는 것으로서 이를 하느님이 내린 "재앙"이라는 뜻으로 쓰고 있다. 『구약성경』의 용례와 관계없이 사전을 봐도 "누리"는 "재앙"으로 풀이 되어 있다.

이와 같은 사정을 알고 있던 나는 당시 그 대통령인지 후보인지의 측근에게 그 정당의 이름이 합당치 않음을 알려주었지만, 그는 나에 게 이렇게 대답했다.

"그런 말을 그분께 조언할 사람이 없어요."

결국 그는 말할 수 없는 "재앙"을 겪었다. 작명은 그리 허투루 하 는 것이 아니다.

이왕에 대통령에 관한 이야기가 나왔으니 한마디 더 하자면, 우 리 시절에는 이승만 대통령의 부인 프란체스카 여사(Francesca)를 "호주 댁"이라고 불렀다. 다 아시다시피, 그는 오스트리아 댁인데 Australia(호주)와 Austria(오지리)를 구분하지 못하던 시대에는 그 런 일도 있었다.

왜 결혼했지?

결혼은 사랑하고 존경하는 것이 아니라 사랑하고 고마워하는 것이다. 온갖 허물을 모두 알고 있고, 상처를 주고받으며 반백 년을 산 부부가 어떻게 존경할 수 있는가? 부부는 노벨상의 업적을 담론하는 사이가 아니다. 부부는 삶에 보대끼며 서로의 결을 맞춰 가는 남남일 뿐이다. 따라서 부부 사이에는 서로 싫어하는 것을 삼가는 것이 서로 바라는 것을 해주는 것보다 먼저이다.

사랑한다고 결혼하지 말라. 인생은 결혼했기 때문에 사랑하는 것이지 사랑하기 때문에 결혼하는 것이 아니기 때문이다. 비정하게 들릴지 모르겠으나, 결혼은 필요해서 하는 것이지, 사랑만으로 하는 것이 아니다. 부부는 사랑이라고 말하지만 아무리 생각해도 그게 아닌 것 같다. 네덜란드의 문화인류학자 반 게네프(Van Gennep)는 "결혼이란 경제 활동"이라고 모질게 말했다.

사람이 장수하면 평생 1,000달(月)을 살고, 회혼식까지 해로하면 700달을 부부가 함께 산다. 그동안에 700번은 다퉜을 것이고, 700가지 흉허물을 겪었을 것이다. 그런데 어찌 사랑하고 존경하며 살겠는가? 내가 한 일도 내 마음에 들지 않을 때가 허다한데, 아무리 부부라 할지라도 남이 한 일이 모두 마음에 들기만 하겠는가?

그러면 왜 사나? 소중하고, 미안하고, 불쌍하고, 고마워서 산다. 다시 태어나면 지금 아내와 살고 싶지 않다고들 말하지만, 나는 지금 아내를 다시 만나고 싶다. 여태까지 결 삭히며 산 시간이 아까워서라도 지금 아내와 다시 살고 싶다. 새 여자 만나서 다시 60년을 싸우며 결을 삭힐 생각을 하면 끔찍하다. 아내는 헤어질 수 없는 운명이다. 그러나 영원한 남이다.

혼기(婚期)

결혼을 늦게 하여 좋을 것이 없다. 여자는 25세 이전에 초산하는 것이 신의 섭리라고 4학년 종강 때면 여학생들에게 강조했다. 지금 세대에 강의실에서 그런 말을 했다가는 여학생들이 "우리가 애 낳는 기계냐?"고 눈 똑바로 뜨고 대들며 바로 당국에 고발하여 성 차별로 엄중한 징계를 받을 것이다.

갖출 것 모두 갖춘 다음에 결혼한다는 말은 괜한 소리이다. 결혼은 갖출 거 모두 갖추고 입장하는 무대가 아니라 살아가면서 갖추는 것이다. 그 재미가 쏠쏠하다. 결혼은 인생의 과정이지 목표가 아니기에 더욱 그렇다.

그리고 자식을 낳아야 한다. 그 키우는 즐거움도 중요하지만 죽음이 쓸쓸하지 않으려면 자식이 있어야 한다. 양로원 창밖의 낙엽을 바라보며 혼자 죽기에는 인생이 너무 서글프지 않은가? 태어난 보람도 없이.

아내의 손

이인석(李仁石)

"두부 한 모에 백이십 원이에요."
대답이 없자
아내는 다시 토를 단다.
"홑 이십 원하던 게 그렇단 말이우"
나는 여전히 어리둥절할 수밖에 없고
아내는 한숨을 쉬며 돌아선다.
나는 안다.
물가는 몰라도
아내의 한숨의 뜻만은 안다.
"저런 남편과 한평생을……." 하는 한숨의 뜻을
하루의 일과를 끝내고
아이들도 잠든 밤
과일을 깎아 말없이 내미는
아내의 손…….
그 거칠고 주름진 손가락마다
별빛 아래 소망으로 엮은
꽃반지로 장식해 주고 싶은 마음을
아내는 알기나 할까?
가슴 밑으로 여울처럼 흐르는
흐느낌 소리
아내의 손에서
생활의 연륜(年輪)을 본다.(1990. 봄)

나쁜 남편, 나쁜 아내

이런 남자는 나쁜 남편이다.

1) 누구는 아내가 열쇠 세 개를 가져왔는데, 당신은 혼수가 적다고 20년째 노닥거리는 남자.

2) 여자라고 "너, 너." 하며 애가 줄줄이 커가는데 아내의 이름 부르며 하대(下待)하는 남자, 이런 남자는 대체로 본데없이 큰 막된 집 사내이다. 경상도 남자들 가운데 그런 집안이 있다.

3) 걸핏하면 이혼하자고 불평하는 남자.

4) 자녀들 앞에서 아내에게 "무식한 거"라고 막말하는 남자.

5) 평소에는 쥐 죽은 듯이 살다가 술만 들어가면 게걸거리는 남자.

6) 꼭 반찬 투정한 다음에 식사하는 남자.

7) 가계부 검열하는 남자.

8) 정액(定額)으로 생활비를 지급하는 남자.

9) 아내가 추레하게 보여 수치를 느끼게 만드는 남자.

10) 시댁 식구들 앞에서 아내 험담하는 남자.

이런 여자는 나쁜 아내이다. 이런 여자를 만난 남자는 불행하다.

1) 남편에게 지고 못 사는 여자.

2) "내 안경 못 보았우?" 하고 남편이 물었을 때, "당신 물건을 당신이 알지 왜 나에게 물어요?" 하고 면박하는 여자. "잘 모르겠는데요."라고 대답하면 왜 안 되나?

3) 언쟁에서 밀리면 30년 전 허물을 들추는 여자.

4) "우리 친정에서는……."이라고 말하면서 부부싸움을 이어가는 여자.

5) 사치하고 헤퍼서 먹는 것보다 입는 것에 더 신경 쓰는 여자.

6) 모임에서 교만하여 남편이 얼굴을 들 수 없게 만드는 여자.

7) 자녀들 앞에서 "옛날에 너의 아빠는……." 하며 헐뜯는 여자.

8) 남편에게 "밥 먹어!"라고 소리치는 여자.

9) 부부 싸움하면 쪼르르 친정으로 가서 꼬아 일러바치는 여자.

10) 남편 친구를 접대할 줄 모르는 여자.

처제와의 결혼은 가능한가?

KBS의 인기 프로그램 〈아침 마당〉에 오래전에 송수식 박사라는 분이 고정 출연했는데 정신과 의사여서 유익한 말씀을 많이 했다. 그런데 어느 날 그가 눈물을 흘리며 아내와 사별한 이야기를 털어놓아 많은 사람의 가슴을 아프게 했다.

그 뒤 방송 시간대가 바뀌면서 나는 그 프로그램을 보지 않았고, 그분의 이름을 잊어 갈 무렵, 그분이 다시 출연했다. 옛 모습이 아니었다. 그런데 그분이 아내와 사별한 뒤의 이야기를 하면서, 요즘에 남편과 사별한 처제와 "한집에 산다"고 고백했다.

모든 토론자가 놀랐고 나도 몹시 놀랐다. 한집에서 산다는 것이 처제와 결혼했다는 말인지, 말 그대로 한집에서 산다는 뜻인지는 알 수 없다. 우리가 놀란 것은 그런 얘기를 공개 방송에서 당당하고 떳떳하게 털어놓을 수 있는 용기 때문이었지만, 내 생각은 다른 곳에 있었다.

먼저 처제와 한집에 산다는 것이 주자학(朱子學)에 정신 나간 우리에게는 그리 아름다운 이야기가 아닐 수 있지만, 문화인류학의 입장에서 보면 이는 미담(美談)이라고 나는 확신하고 있다.

일본의 경우 아내가 죽었을 때, 남편은 처제를 아내로 삼는 풍습이 보편화되어 있다. 이는 부계 사회의 유습으로, 어린 자식들의 양육에는 타인보다는 이모가 더 적절하다는 인간적인 배려를 담고 있다.

이와 대조적으로 남편이 죽으면 미망인은 시동생을 남편으로 맞이하는 형사취수(兄死娶嫂)의 혼속이 우리의 고대사에서는 보편화되어 있었다. 이를 형제연혼(兄弟緣婚, levirate)이라 한다. 이러한 풍습은 서양에서도 이미 모세(Moses)의 율법에 나타나고 있다.(『구약성경』「신명기」25 : 5;『신약성경』「루카복음」20 : 28;「마태오복음」22 : 24~28.) 형사취수(levirate)라는 영어도『구약성경』「레위기」(Leviticus)에 등장하는 레위족과 어원이 같지 않을까 하는 생각이 들지만, 잘 모르겠다.

이러한 형사취수 제도는 마치 여자가 남자에게 종속되는 것으로 오랫동안 해석되었다. 그러나 이에 대해서는 달리 해석할 여지가 있다. 최근의 예로, 미국 대통령 바이든(Joe Biden)의 맏아들이 교통 사고로 죽자 둘째 아들이 형수와 결혼했다. 이 제도는 당초 남편을 잃

부여의 혼속

은 여성과 그 자녀를 남편의 형제가 부양하도록 하려는 취지에 따른 것이지만, 오늘날 일부 후진국에서 여성과 그 유족을 약탈하고 착취하는 수단으로 변질되고 있다.

그러나 본래의 의도를 보면, 형사취수의 풍습은 살아 있는 남자의 형제가 죽은 형의 아내를 상속받은 것이 아니라, 죽은 형의 살아 있는 아내가 남편의 남동생을 '차지한 것'이다. 망자의 동생이 결혼의 기회를 박탈당하고 미망인인 형수와 결혼하는 것은 형수가 시동생에게 상속된 것이 아니라 형수가 시동생을 상속받은 것이다.

물론 이러한 혼속에는 죽은 형의 자제를 아우가 키우는 것이 정서적으로나 인도주의적 측면에서 훌륭하다는 배려가 있었다. 형사취수가 여권을 유린하는 것으로 해석하는 것은 근대사에 나타난 현상으로서 여성의 배우자 선택권을 침해했다는 인식의 결과였다.

그러므로 형이 죽은 형수와 아내가 죽은 시동생, 아내가 죽은 형부와 남편을 잃은 처제로 고민하는 분들은 거리낌 없이 결혼하시라. 이런 결혼은 미담이며 꺼릴 일이 전혀 아니다. 내가 주례 서 주리라.

자식은 뜻대로 안 되더라

『구약성경』에 따르면, 인류의 역사에서 가장 지혜롭다는 사람인 다윗과 사무엘과 솔로몬의 아들들은 개망나니들이었다. 자식은 뜻대로 안 된다. 그러나 자식의 잘못이 부모의 허물인 것은 틀림없다.

자식을 낳으려면 외동보다는 둘이 더 좋다. 그들은 커가며 등교·하교 때나 숙제 시간에 서로 돕고, 부모의 일손을 덜 주기 때문이다.

형제자매

외동의 양육비가 100%일 때 두 형제나 자매의 양육비는 150%를 넘지 않는다. 둘이라고 200%가 들지 않는다. 정신 건강에도 좋다. 적을 만날 때도 유리하다. "형제란 어려울 때 도우려고 태어난 사람이다."(『구약성경』「잠언」17 : 17) 일할 때도 둘의 작업량을 합치면 50+50=150이 된다. 이를 상승효과라 한다.

"혼자보다는 둘이 나으니
그들의 서로 도움이 좋은 보상을 받기 때문이다.
그들이 넘어지면 하나가 다른 하나를 일으켜 준다.
그러나 외톨이가 넘어지면 그에게는 불행이니,
그를 일으켜 줄 다른 사람이 없다.
또한 둘이 함께 누우면 따뜻해지지만
외톨이는 어떻게 따뜻해질 수 있으랴?
누가 하나를 공격하면 둘이 그에게 맞설 수 있다.
세 겹으로 꼬인 줄은 쉽게 끊어지지 않는다."

(『구약성경』: 외경「지혜서」4 : 12)

그런데 하느님께서 아담과 이브를 창조하시고 하신 첫 말씀을 아시는가? "아기 많이 낳아라."(『구약성경』「창세기」1 : 28)였다. 모세와 아브라함에게도 그런 말씀을 하셨다.

혼자 살지 마시라

『성경』 전편을 통하여 하느님께서 "······ 하시니 보기에 좋았더라."라는 말씀을 여섯 번 하시고, "좋지 않다."는 말을 처음 하신 것은 「창세기」 2장 18절로서, "사람이 혼자 사는 것이 좋지 않다."(It is no good for the man to live alone.)고 되어 있다. 옛날 성경에는, "남자가 혼자 사는 것[獨居]이 좋지 않다"고 오역했다.

'부모님의 회갑연을 치렀다.'고 말한다. '부모님의 장례를 치렀다.'고 말한다. 그런데 '결혼식을 올렸다.'고 말한다. 왜 유독 결혼식만은 '올렸다.'고 말할까? 어디로 올렸다는 말인가?

우리는 하느님의 명령을 거역하고 있다. 결혼도 하지 않고 아기도 낳지 않는다. 기독교인들부터 먼저 아기 많이 낳아야 한다. 아기 우는 소리를 들어본 지가 언제인지······.

"국민이 적으면 제후는 멸망한다."(『구약성경』「잠언」14 : 28)

세 집에 아기가 둘이다. 이대로 가면 인구 재앙이 온다는 것은 이제 얘깃거리도 아니다. 지금부터 신혼부부가 30세 전에 아기 셋을 낳는다 해도, 향후 30년 동안 한국은 약소국가가 될 것이다. 시급한 대책은 이민을 받아들이는 길밖에 없지만, 단일민족도 아니면서 순혈주의 때문에 그것도 쉽지 않다.

들쥐의 모정

나는 중년에 아내의 성화에 못이겨 서울 근교의 양지바른 곳에 있는 전원주택에서 십여 년을 산 적이 있다. 내로라하는 사람들이 그 마을에 살아 소문이 난 구리시의 '아치울'이라는 동네였다. 그 무렵에 나는 작가 박완서(朴婉緒, 1931~2011)

들쥐의 모정

선생님과 아래 윗집에 살며 같은 성당에 다닌 것을 아름다운 추억으로 간직하고 있다.

속 모르는 사람들은 내가 고래 등 같은 저택에 사는 줄 알았지만, 사실은 전세였다. 앞에는 실개천이 흐르고, 낮이면 다람쥐가 놀러 오고, 날이 궂으면 두꺼비가 마당에서 놀았으며, 저녁이면 두견새 소리가 들렸다. 채소를 사 먹지 않았다. 집을 나서면 바로 아차산(峨嵯山)으로 올라가는 등산로였다. 굳이 등산로랄 것도 없고, 앞 뒷산이 모두 내 집 정원이었다.

해동이 되면서 양지바른 곳에 햇살이 쏟아질 때면 나는 자주 산에 올라갔다. 산에는 들쥐가 많았다. 이제 갓 낳은 새끼들과 양지바른 곳에서 일광욕을 하던 엄마 들쥐는 인기척이 나면 곧 새끼들을 이끌고 숨는다.

그때 어미 들쥐는 제대로 기지도 못하고 눈도 못 뜬 그 여러 마리의 새끼들을 이끌고 어떻게 도망쳐 굴속으로 들어갔을까? 물고 갔을까? 아니다. 한입에 그 여러 자식을 물고 갈 수 없다. 위험이 닥치면 어미는 자식들에게 젖을 물린 채 끌고 간다. 자식들은 앙다문 젖을 놓치지 않으려고 바둥거리고, 어미는 그 아픈 젖을 참으며 필사적으로 달아난다.

그 장면은 나의 뇌리에 오래 남았다. 그리고 그럴 때면 나는 한국 전쟁 때 자식들을 데리고 피란 가던 어머니를 회상했다.

내 일생에 잘한 일 딱 세 가지

이 이야기는 자랑처럼 들릴까 여겨져 망설이다 쓴다.

첫째, 담배 이야기

내 맏딸이 중학생 시절에 나에게 이렇게 말했다.

"아빠는 담배만 피우지 않으면 한 남자로서 괜찮은 사람인데……."

나는 그 말을 들었을 때 참 행복했다. 그리고 지금도 가끔 그때를 회상한다. 결국 나는 그 녀석 때문에 담배를 끊었다. 평생에 2만 갑을 태웠다. 그게 가능하냐고? 1년에 500갑씩 40년을 태웠으니 그 계산이 정확하다. 10cm×20개피×20,000갑이면 길이로 40km이

금연 광고(google)

다. 강의 한 시간에 두 대 태웠다. 지금은 자기 연구실에서도 금연이란다. 지금 세상 같았으면 파면당하기 딱 좋았을 게다.

세상 사람들이 나를 두고 이렇게 말했다.

"저 교수는 아마 건국대학교에서 마지막으로 담배를 끊을 사람이야."

내가 담배 피우는 것을 보고 멋있어 보여 담배를 피우기 시작했다는 제자를 많이 만났다. 내가 미욱해 참 많은 죄를 지었다. 그 녀석들은 세월이 지나서도 내 안부를 물을 때면 이렇게 말한단다.

"요즘도 강의 중에 담배 태우시냐?"

그런 내가 담배를 끊었을 때 많은 사람이 용기를 내어 끊었다고 들었다. 담배를 끊고 금단 현상이 심하여 병원에 입원하여 링거를 꽂고 있었다. 담배를 끊으려고 별짓 다 해 보았다. 하루에 열 번도 더 끊었다.

약도 먹어 보고, 패치를 붙여 보고, 헛담배를 피워 보고, 캔디를 물어 보고, 기도원에도 들어가 보고……. 그러나 다 소용없는 일이었다. 내가 가장 효과를 본 것은 담배 생각이 날 때 냉수를 한 컵 마시는 것이었다. 그러나 그것도 끊으려는 의지가 있은 다음의 일이다.

임어당(林語堂)이 『생활의 발견』에서 "담배도 안 태우면서 인생의 즐거움을 아느냐?"고 일갈했듯, 담배에는 분명히 즐거움이 있다. 그러나 담배를 끊는 즐거움도 있다. 담배를 끊는 방법은 간단하다. 안 피우면 된다. 그런데 그게 어지간히 독종 아니면 안 된다. 요즘 세상에는 담배 피우는 사람이 안 피우는 사람보다 더 독종이라고 하더라만……

세월이 지나 내게 배웠던 어떤 여학생이 중년이 되어 모교 방문의 날에 참석했다. 그리고 나에게 이렇게 말했다.

"조금이라도 더 열심히 들으려고 맨 앞자리에 앉아 있던 저는 선생님의 담배 연기에 목이 아파 고생을 많이 했습니다."

나는 미안하다고 말할 수도 없어 두 손으로 얼굴을 가렸다.

둘째, 며느리 본 이야기

나는 며느리를 보면서 상견례를 가진 자리에서 사돈댁에게 딱 부러지게 말했다.

"혼례에는 각 가정의 풍습이 있기 마련이지만, 내 며느리 보낼 때는 칫솔 하나만 들려 보내시죠."

사돈댁은 무슨 외계인을 쳐다보는 듯하였다. 채단이며, 무슨 떡인

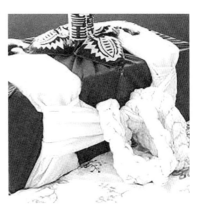

채단(綵緞)

지 하는 것도, 단돈 한 푼어치도 받지 않았다. 그가 지참금을 싸 가지고 왔는지는 알 수 없지만, 알 필요도 없고, 정말로 그랬다.

친목계와 몇몇 친지 이외에는 축의금도 받지 않았고, 청첩장도 돌리지 않아 내 조교와 학과 교수들도 내 아들이 장가가는 것을 몰랐다. 우리 나라의 혼인에는 아들 둔 엄마가 마음을 바꿔야 한다.

30년 동안 소식 없던 친구에게서 "결혼식에 오시기 불편할 듯하

여 통장번호를 알려 드린다."는 청첩장을 받았을 때, 그리고 결혼식이 지나서 "왜 결혼식에 안 왔느냐?"고 따지는 전화를 받았을 때, 나는 이런 나라에 사는 것이 서글펐다.

셋째, 김정한(金廷漢)이라는 청년과 진춘조 박사에 대한 회상

앞서 말했듯이 나는 소싯적, 1970년대에 KBS에서 매일 〈아침의 메아리〉라는 방송을 했다. 꽤 인기가 있었다. 어느 해인가, 고등학생쯤 되어 보이는 학생이 허름한 차림으로 연구실로 들어왔다. 시골티가 역력했다. 그 무렵에 나는 시간 강사였으니 내 방이랄 것도 없는, 지도 교수님의 방이었다. 그는 수줍어 말도 잘 못했다.

어찌 왔느냐고 물었더니, 자기는 경상도 영주 산골에서 석청을 따서 홀어머니 모시고 사는 소년으로 이름은 김정한이라 했다. 그런데 왜 나를 찾아왔지? 그가 허름한 보자기를 주섬주섬 펴는데, 작은 단지가 나왔다. 자기가 딴 석청이라며, 작은 성의로 받아달라고 했다. 나는 입은 벌어지는데 말이 안 나왔다. 고맙다는 말도 못했다. 얼마간 이런저런 얘기를 하다가 그는 돌아갔다. 그 뒤에도 그는 때가 되면 명절 안부며, 카드를 보내 주었다.

몇 년이 지난 어느 날 김정한 군이 찾아왔다. 이제는 키도 다 큰 헌헌장부였다. 그런데 얼굴에 수심이 가득했다. 나는 불길한 예감이 들어 무슨 일이 있느냐고 물었더니 그가 대답했다.

"선생님께 마지막 작별 인사를 드리려고요."

"아니, 어디 중동에 취업이 됐나?"

"그게 아니구요…… 제가 몹쓸 병에 걸려 곧 죽게 되었습니다."

아니 이럴 수가…….

"무슨 병인데?"

"결핵성 늑막염인데, 중증인 데다가 입원할 형편도 못 돼서요. 죽기 전에 선생님이나 한 번 더 보고 싶었습니다."

나는 가슴이 먹먹했다. 이 착한 사람에게 어찌 그리 무서운 병이…….

잠시 뒤 정신을 차린 나는 무작정 그의 손을 잡고 우리 대학병원 내과 과장을 찾아갔다. 그의 이름은 진춘조 박사였다. 나는 그분에게 소화기 내과 치료를 몇 번 받은 적이 있고, 천주교 교수 모임에서 눈인사를 하는 정도였지 염치없이 찾아갈 만큼 자별한 사이도 아니었다. 나는 여러 말 하지 않고 내가 치료비를 도와주어야 할 어려운 청년인데 도와달라고 했다. 그랬더니 진 박사는 대단치도 않은 일인 듯이 실실 웃으며 말했다.

"걱정하지 마세요. 내과 과장에게는 1년에 몇 명 무료 진료를 할수 있는 특혜가 있어요."

그러더니 이러니저러니 말도 없이 환자를 병상에 눕히고 200cc가 넘어 보이는 주사기로 물을 빼는데, 한 대야가 넘어 보였다. 환자도 밭은 숨을 멈췄다. 진 박사는 약값을 도와 줄 형편은 못되지만 3개월마다 무료 진료로 처방전을 써주겠노라고 약속했다. 나는 다시우리 행당동성당 청년친목회의 약사 조주행 선생을 찾아가 약값은 내 앞으로 달고 원가로 3개월마다 약 좀 지어달라고 했더니 그도 선선히 원가로 도와주었다.

김정한 군은 3개월마다 정확히 약을 지어 먹고 1년 뒤에 완치되었다. 그 뒤 그는 사법 시험을 준비했지만, 법은 알겠는데 답안지 작성을 하기에는 기초 실력이 부족하다며 응시를 포기하고, 그때 공부한 지식으로 무료 법률 상담을 하며 생활을 이어갔다.

돌아보니 45년 전 이야기다. 이제 불행히도 조주행 선생도 세상을 떠났고, 김정한 군도 세상을 떠났다. 그는 세상을 떠나며, 나에게 보답을 못하고 먼저 가는 것이 죄송하다고 유언을 남겼다. 진춘조 교수는 그 뒤 정년 퇴직을 하고 어느 대형 병원의 원장으로 자리를 옮겼다고 들었다. 진 교수가 떠날 때 고맙고 미안하다는 인사도 전하지 못한 것이 가슴에 걸려 있다.

내가 무슨 보답을 받으려고 한 일은 결코 아니지만, 최후의 심판날에 하느님 앞에 서면 조금은 가산점을 받을 수 있지 않으려나?

가까이 다가가기

아마 코로나 집단 감염 이후의 역사에는 거리 두기가 생활화될 것이고, 서로의 거리는 멀어질 것이다. 그렇지 않아도 메마른 사회에 사람들의 체온이 더 냉랭해질 것이 두렵고 안타깝다. 우리는 많은 병을 냉증(冷症)이라 하고, 몸이 차서 생기는 것으로 알고 있다. 남극의 펭귄이 살아남는 방법은 서로 몸을 밀착하여 체온을 보존하는 것이다. 정이 그리워지는 것은 사람의 수명을 줄이는 일이다.

우리 집 자식들은 아직도 지식인의 오기가 남은 탓인지 부부 사이가 냉랭하다. 자식들이 다 컸는데도 제 팔뚝이 더 굵단다. 어느 날 딸네 집에 갔는데 역시 부부 사이가 냉랭했다. 그렇다고 싸운 것도 아니었다. 집에 돌아와 사위에게 메일을 보냈다.

"자네 집안은 분위기가 너무 냉랭하여, 가서 하루를 지내는 것이 불편하다네."

그랬더니 사위에게서 곧 답장이 왔다.

"아버님, 다음에 오실 때는 방 안 온도를 좀 더 올려드릴게요."

잊을 것은 잊어야 하는데

재상인 관중(管仲)의 운명(殞命)이 가까워졌다는 말을 듣고 제(齊) 나라 환공(桓公)이 그를 찾아가 물었다.

"그대가 세상을 떠난 다음에 누가 그 자리를 이을 만하오?"

관중이 대답이 없자 환공이 다시 물었다.

"포숙(鮑叔)이 어떻겠소?

그 말에 관중이 대답했다.

"그 사람은 안 됩니다."

관포지교(管鮑之交)라는 고사성어까지 있는 관중이 포숙을 거절하자 환공이 의아하여 그 연유를 물었다. 그랬더니 관중이 이렇게 대답했다.

"그 사람은 남의 결점을 너무 오래 기억하기 때문입니다."

(『열자』(列子))

돌아보니 나는 포숙처럼 살았다. 그래서 더 힘들었다는 것을 깨달은 것은 한참 뒤의 일이다.

니미츠(Chester Nimitz) 제독의 기도

니미츠 제독

　미국 역사상 최초의 해군 출신 5성 장군[元帥]으로 제2차 세계 대전 당시 태평양함대사령관으로서 전쟁을 승리로 이끈 니미츠 제독은 늘그막에 이렇게 기도했다.

　"…… 제가 늙어가며 말이 길지 않게 해주시고, 제가 늙어가며 어느 자리에 참석했을 때 꼭 한마디 해야겠다는 유혹에 빠지지 않게 해주시고, 제가 늙어가면서 불의한 무리를 보았을 때 내 손으로 저들을 응징하리라는 만용(蠻勇)에 사로잡히지 않게 해주시고, 제가 살아가면서 남에게 베푼 것을 공치사하지 않게 해주시고, 제가 살아가면서 나도 실수할 수 있다는 것을 알게 해주시고, 제가 살아가면서 성자(聖者)가 되지 않게 해주시고 ……."

　다 무슨 뜻인지 알겠는데 마지막 기도는 무슨 뜻인지 아직도 모르겠다.

후회

　내 젊은 날은 모질고 매살스러웠다. 6년을 내 방에서 지낸 조교는 떠나는 날까지 내 앞에서 말을 더듬었다. 나는 그만큼 차가운 인간이었다. 지나고 보니 그게 후회스럽다. 가진 것 없고 비빌 언덕 없이 험한 세상에 살아남으려다 보니 독하게 살지 않을 수 없었다. 그런 삶이 남들에게 많은 상처를 주었을 것이다.

나라고 왜 베풀며 너그럽게 살고 싶지 않았겠는가? 내가 살려다 보니 어쩔 수 없는 일이었다 하더라도 잘한 일이 아니다. 나는 그 점을 후회한다. 내 노년의 기도는 그래서 참회의 기도가 많다.

나는 너무 자주 뒤를 돌아보았다

나는 인생을 살아오면서 너무 자주 뒤를 돌아보았다. 걸어가면서도 무슨 세상 걱정이 그리 많았는지 땅만 보고 걸었다. 그래서 학생들이 인사하는 것도 몰라 좋은 소리를 못 들었다. 인생은 앞을 보면서 살아야 하는 건데……. 그것이 한(恨) 때문이었든, 추억 때문이었든, 인생을 바르고 옳게 산 방법은 아니었다. 잊을 것을 잊어야 하는데 나는 그 많은 일을 잊지 못했다. 그 수많은 기억이 잔상(殘像)이 되어 나를 옥죄었다.

동계올림픽에서 스피드 스케이팅 선수가 추월하는 뒷사람을 돌아보다가 간발의 차이로 뒤처지는 모습을 자주 본다. 그러더니 올해부터는 선수가 뒤따라오는 선수를 돌아보려면 고개를 돌리지 않고 가랑이 밑으로 머리를 깊이 숙여 뒤를 본다. 나도 그렇게 뒤를 돌아보는 법을 알았더라면, 젊은 날에 좀 더 앞질러 갈 수 있었을 터인데…….

손흥민은 어떻게 세계적인 축구 선수가 되었나? 나는 축구를 잘 모르지만, 손흥민이 위대한 것은 결정적인 순간을 놓치지 않고 슈팅

하는 동물적 감각 덕분이다. 내가 그 장면에 유달리 감동하는 것은, 일생을 되돌아보니 나는 결정적인 순간에 머뭇거린 적이 너무 많았기 때문이다.

"인생의 결정적인 순간에 머뭇거리는 사람은 가난하게 산다."
(「잠언」 11 : 16)

늙음, 그리고 그 준비

나는 부모님 덕분에 나이 여든이 넘은 지금, 10시간 책상에 앉아 있어도 허리에 통증이 없다. 아직 성당과 도서관, 지하철과 아파트 계단을 올라가는 데 무릎에 불편함이 없다. 나는 아직 읽고 쓰고 생각하는 데 머리에 별 이상이 없다. 이것은 부모님으로부터 받은 가장 큰 축복이다. 이 축복을 갚아야 한다. 그것은 더 좋은 글을 쓰는 것밖에

나도 이렇게 늙고 싶다.(google)

없다.

돌아보니 내가 쓴 책이 60여 권에 높이가 내 키쯤은 된다. 가방 크다고 공부 잘하는 것이 아니고, 양이 많다고 자랑할 일은 아니지만 이만하면 나도 라스키(Harold Laski)만큼은 열심히 살았다. 그 가운데 한두 권이라도 뒷날 고전으로 읽혔으면 좋겠다.

노인 건강

한국 사회에서의 노인은 77세인 것 같다. 그때가 되니 내 방에서 잠든 초등학교 2학년짜리 손주를 제 방으로 안아 옮기려는데 발이 떨어지지 않는다. 5kg 무게의 짐을 들고 버스에 오르는데 발이 떨어지지 않는다. 80세가 되니 버스를 탈 때 손잡이를 잡고 당겨야 몸이 올라간다.

등산이나 답사에서 앞서가는 젊은이들의 발걸음을 못 쫓아가 미안하다. 두 시간 동안 서서 연속 강의를 하고 나면 저녁에 허리를 펴고 잘 수가 없다. 플라톤(Platon)이 왜 "지도자는 다리가 튼튼해야 한다"(Statesman, § 306d~307b)고 말했는지 알겠다. 그래서 서서 원고를 쓰는 학자가 있다는 말을 들은 적이 있다.

난청(難聽)

지난주부터 미사 시간에 앞자리 경로석에 앉기 시작했다. 봉헌금 내려 나가지 않고 영성체 때 불편하게 나가지 않아도 된다. 몸이 불편해서가 아니라 미사 경전과 신부님의 강론이나 공지 사항이 들리지 않아서이다.

난청이 시작되었다. 속 모르는 사람들은 젠체하느라고 앞자리에 앉는 줄 알 게다. 왜 노인들은 귀가 어두워지나? 듣고도 못 들은 체해야 할 일이 많기 때문일 것이다. 대우를 받는 것이 편하기는 하지만 왜 이리 마음이 허허로운가?

낙엽은 세월이더라

낙엽이 지기에 바람이 지나가는 줄 알았더니, 그것은 바람이 아니라 세월이었다. 남들은 가을이 온다고 말하는데, 나에게는 가을이 가는 것 같다. 80세가 넘자 몸이 이곳저곳 아프기 시작한다. 약으로 세월을 막으려니 참 어렵다.

"많이 늙으셨군요"라기 보다는

늙었으니 늙었다고 말하는 것을 탓할 수 없지만, 보는 앞에서 대놓고 "많이 늙으셨군요."라는 말은 듣기에 좀 불편하다. 우리 대학병원 내과 수간호사 이(李) 선생이 침상에 누운 나를 내려다보며 한 말이 참으로 인상적이고 잊히지 않는다.

"선생님의 얼굴에도 세월의 흔적이 스쳐가고 있군요."

얼마나 싯적인가? 얼마나 아름다운 표현인가?

삶의 여유

길을 가다가 괜찮은 커피집을 만나면 들러서 혼자 차 한잔을 마시기 시작한 것이 80세가 되던 해였다. 나는 인생을 왜 그렇게 살았지? 50세에 그 찻집에 들어갔으면 더 좋았을 걸…….

나폴레옹이 어느 날 세인트헬레나의 들길을 거닐며 이렇게 자탄했다.

나폴레옹

"왜 나는 한 곡조의 심포니를 깊이 있게 들어보지 못했고, 한 송이 들꽃을 보면서 시상(詩想)에 잠겨보지 못했는가?"

돌아보니 근검하며 열심히 산 것이 미덕이기는 하겠지만 인생의 어느 부분을 유보한 것이 너무 많다. 그것이 후회스럽다. 내 자식들은 아비와 스키장이나 스케이트장에 한번 가 본 추억이 없다. 그것이 너무 미안하다.

산속에 사는 이에게
가을빛이 저무누나(山居秋暝)

왕유(王維)

빈산에 새삼 비 내린 뒤

空山新雨後(공산신우후)

날씨는 벌써 늦가을이구나

天氣晚來秋(천기만래추)

달은 소나무 사이로 밝게 비추고

明月松間照(명월송간조)

맑은 샘에는 돌 위로 물이 흐르는데

淸泉石上流(청천석상류)

댓잎 소리 들으며 빨래터 아낙은 돌아오고

竹喧歸浣女(죽훤귀완녀)

연잎은 고깃배에 흔들리는데

蓮動下漁舟(연동하어주)

어느덧 봄날의 꽃은 시들었지만

隨意春芳歇(수의춘방헐)

나는 여기서 지낼 만하다네

王孫自可留(왕손자가류)

죽음과 수유(須臾)

기독교/천주교의 「사도신경」에 "산 이와 죽은 이를 심판하러 오시리라 믿나이다."라는 구절이 있다. 그런데 "산 이"를 영어로 "the living"이라고 번역한 교단이 있는가 하면, 이를 "the quick"이라고 번역하는 교단도 있다. 『옥스포드사전』(Oxford Dictionary)를 찾아보았더니, "산 이와 죽은 이"를 뜻할 때는 "the quick and the dead"라고 쓰게 되어 있다. 왜 "the living and the dead"가 아닐까?

나는 머리가 멍했다. 반드시 무슨 의미가 있을 것이다. "산 사람"을 "the quick"이라고 표기한 것은 "너도 지금은 살아 있지만 '곧 사라질' 운명"이라는 뜻이 아닐까? 이런저런 생각을 하다 보니 삶이 허무하다는 생각이 든다.

영미권에서 장례를 치를 때 "세상을 떠났다."는 말을 "He joined the majority."라고 한다. 이 의미 또한 심오하다. 이제까지 죽은 사람의 숫자는 1,100억 명 정도라고 한다. 그러니 어차피 죽은 사람이 더 많다는 뜻일까? 아니면 "너는 외롭지 않을 거야."라는 뜻일까? 동양에서 죽음을 "고혼"(孤魂)이라고 말하는 것과는 전혀 의미가 다르다. 죽음을 놓고 그 의미를 반추하는 데에는 동서양의 모습이 크게 다르다.

늙으니 기억력이 떨어지는 것이야 탓할 일도 아니고 이상할 것도 없다. 그런데 그 망각의 시기와 대상이 미묘하다. 먼저, 가까운 일부터 생각이 나지 않는다. 초등학교 1학년 담임 선생님의 이름은 또렷이 한자까지 기억나는데, 어제 한 일이 생각나지 않는다. 이 방에서 저 방을 갔는데 왜 갔는지 생각나지 않는다.

그리고 더 이상한 것은 망각의 대상이다. 사람 이름을 가장 먼저 잊는다. 여기에도 반드시 하늘의 뜻이 있을 것이다. 사람과의 인연을 천천히 끊으라는 뜻일 것이다. 왜 인연을 끊어야 하나? 죽을 때의 슬픔을 줄이도록 정을 끊는 것이 아닐까?

"인생의 황혼"

한수산의 소설 『부초』(浮草)에서 주인공 석이 엄마는 죽음을 앞두고 이런 말을 남겼다.

"흘러간 것은 아름답다."

석양이 아름다운지, 아니면 여명이 아름다운지는 나이나 지금 삶의 형편에 따라 다르다. 그런데 기이하게도 황혼이 아름답다는 사람은 보수주의자가 많고, 여명이 아름답다고 생각하는 사람은 진보주의자가 많다. 누가 진보주의자가 되고 누가 보수주의자가 되는가의 문제는 가정 환경이나 성장 배경으로부터 자유롭지 않다.

한수산의 『부초』

손주들

내 나이에 아들딸 시집 장가 못 보낸 사람도 많은데 나는 손주가 여섯이다. 주말이나 대소사에는 여섯 놈이 모두 와 집을 뒤집어놓고 간다. 왜 자식보다 손주가 더 사랑스러운지 이해할 수가 없다. 자식들이 어렸을 적에 우리는 사느라고 자식을 돌볼 겨를이 없었기 때문일까? 금세 돌아간 손주들이 또 보고 싶다. 외손주는 올 때 반갑고 갈 때 더 반갑다던가?

그 녀석들과 몸싸움하고 재잘거릴 때는 만단 시름을 잊고 마냥 행복하다. 나는 그 녀석들이 할애비를 자랑스럽게 여기며 회상했으면 좋겠다. 세상 사람들에게 "제가 신복룡 선생의 손자예요."라고 말하지 않고, "신복룡 선생이 제 할아버지예요."라고 말했으면 좋겠다.

"손주는 노인의 화관(花冠)이다."(『구약성경』「잠언」17 : 6)

늙어가면서 조심하며 준비해야 할 일들

넘어지지 말아야 한다.

고뿔에 걸리지 말아야 한다. 노인은 모두 마지막에 천식으로 죽는다.

사레에 걸리지 않도록 식사할 때 주의해야 한다. 노인이 되면 사레에 잘 걸린다. 사레 그 자체도 노인의 기관지에 해롭지만, 옆 사람에게 폐를 끼친다.

너무 가난하지 말아야 한다.

비싸지 않게 먹을 수 있는 음식점 하나쯤은 알아두어야 한다.

많이 나누어 주어야 한다.

이혼하지 말아라. 배필을 잃는 것은 절반의 죽음과 같다.

늙어갈수록 마음을 터놓고 의지할 친구를 잃지 말아라.

바라는 대로 될 일이 아니지만, 아내가 더 오래 살아야 한다. 효자가 악처만 못하기 때문이다.

약을 먹었는지 먹지 않았는지 생각나지 않으면, 먹지 말아야 한다.

자식의 도움을 기다리지 말아라. 그들에게는 부모보다 자기 자식이 더 소중하다.

의식이 없고 걸을 수 없을 때가 되면 연명 치료를 하지 말아야 한다.

바바리코트

내가 평생에 써본 이른바 명품이라면, 대단한 것도 아니지만, 몽블랑(Mont Blanc) 만년필과 바바리코트밖에 없다. 그렇다고 대단한 명품도 아니다. 선비의 글씨는 만년필로 써야 한다는 이상한 고집에 빠져 볼펜을 거의 쓰지 않았다. 서양 사람들이 즐겨 입는 코트를 버버리(Burberry)라고 하는데, 이는 "야만"이라는 뜻의 Barbarian과 어원이 같다. Barbarian은 중앙아시아인인 Berber 족을 의미하는데 그들은 추위를 견디고자 긴 코트를 입고 말을 탔다.

이발사를 의미하는 Barber도 어원이 같다. 당초 이발사는 외과의사였다. 그래서 지금도 이발소의 표지판은 피와 흰 붕대를 감은 원통이 돌아가고 있다. 그러다가 이발이 분업화하면서 이발소가 생

바바리코트의 변형

기고 그들을 barber라고 불렀다.

Barber나 Berber는 "라틴어를 몰라 버벅거리는 이방인[야만]"이라는 뜻이다. 우리나라에서도 방언으로 벙어리를 "버버리"라 했다. 따라서 한국어의 벙어리(버버리)나 런던 버버리나 어원이 같다. 만국어는 어디를 가나 소통되기 마련인데, 그들이 언어를 통하여 죄를 짓자 창조주께서 그들의 언어를 갈라놓았다.

만국어

우리 학교 앞에 분식집이 있었다. 이름을 영문으로 Wagul-Wagul이라고 썼다. 그런데 미국인 학생은 "와글와글"이라고 읽는데 독일 학생은 "바글바글"이라고 읽었다. 그 주인이 그것을 알고 썼는지 모르고 썼는지는 알 수 없으나 참 신기하다. 인간이 느끼는 감정은 동서고금이 같은가?

금영(金纓)

讀未見書如得良友(독미견서 여득양우)
讀未見書
乃良友見已
讀書如逢故
人
錄金纓句
山陰朱非

처음 보는 책을 읽는 것은
좋은 친구를 만남과 같고
讀未見書 如得良友(독미견서 여득양우)
이미 읽은 책을 다시 읽는 것은
옛 친구를 만남과 같다.
見已讀書 如逢故人(견이독서 여봉고인)

금영의 시

이 시귀는 청나라 금영(金纓)의 글인데, 실은 볼테르(Francois-Marie A. Voltaire)의 시를 옮긴 것이다.

02

내 학문에 얽힌 이야기

"너는 『시』(詩)를 읽었느냐?"

『성경』에서 「시편」(Palms)을 가장 잘 번역한 판본이 가장 훌륭한 번역판이다. 『시편』의 번역판은 그 번역만큼 숫자가 많을 것이다. 공자(孔子)께서도 아들에게 『시』를 읽으라고 권면했다.

시라쿠사의 포로가 된 아테네 병사들은 에우리피데스(Euripides)의 시를 암송할 줄 안다는 이유로 석방되었다. (『플루타르코스영웅전』「니키아스」편 § 29)

슬픈 역사를 갖지 않은 민족은 이 세상에 없다

세계에서 가장 전쟁을 많이 겪은 나라는 아마도 아프가니스탄과 파키스탄 인근이 아닐까 싶다. 인류의 출현과 더불어 전쟁은 시작되었다. 유사 이래 지구상에는 14,500회의 전쟁(war)이 있었고 36억 명이 전쟁으로 죽었다.(온창일)

용사의 죽음(R. Capa, 스페인전쟁)

인류의 역사에서 전쟁이 없었던 기간은 모두 합쳐도 230년에 지나지 않는다는 기록과 함께 제2차 세계 대전 이후 현재까지 지구상에서 전쟁의 총성이 멎었던 순간은 단 하루도 없었다는 기록(황병무)은 이제 소망으로서의 평화에 대한 기대보다는 현실에서 전쟁이 없어야 한다는 사실이 더 절박한 문제가 되었다.

역사가의 책무와 자질

역사가는 기본적으로 자신의 출신 성분으로부터 자유로울 수가 없다. 첫째로, 역사가는 그 글의 주제를 사랑해야 한다.(E. H. Carr) 그러나 처음부터 그 주제를 찬양하기로 작정한 호교론(護敎論)의 글이나, 시비를 넘어 요절을 내기로 작정하고 쓴 외삽법(外揷法)의 글은 역사서가 아니다.

역사가가 반드시 어느 사건의 선악을 판정해야 할 의무를 지는 것은 아니지만, 그러한 결단의 순간에 마주칠 경우가 허다하다. 그때 그가 가지고 있는 개인 감정으로서의 호오(好惡)를 심각하게 절제해야 한다.

둘째로, 주제의 시비를 가리는 문제라면 양쪽 이야기를 다 들어보아야 한다. 이를테면 한국 현대사를 쓰려면 박헌영(朴憲永)과 조병옥(趙炳玉)의 이야기를 모두 들어보아야 한다. 그런 다음 그 시비나 진위를 가리는 것은 전적으로 역사가의 예지(叡智)에 달려 있다. 청일전쟁(淸日戰爭)을 쓰면서 일본 자료만 보거나 중국 자료만 보았다면 그것은 공의롭지 않은 글이다.

셋째로, 역사가는 그 사건의 현장에 서 보아야 한다. 천장 쳐다보고 쓴 책은 역사서가 아니다. 역사가는 현장에 서 보았을 때 신비한 영감을 느낀다.(A. Toynbee) 그런 점에서 헤로도토스(Herodotus)는 위대한 역사학자이자 지리학자이다. 나는 전봉준(全琫準)이 일생 동안 살았던 모든 곳을 답사하는 데 15년이 걸렸고, 다섯 차례의 답사 거리는 5천km였다.

넷째로, 위의 명제와의 연속선상에서, 역사가의 첫 번째 신체적 조건은 머리나 가슴이 아니라 "튼튼한 다리"(sweeft foot, Platon)이다. 역사가의 글은 "발품"이다. 모든 학문이 다 그렇겠지만, 특히 역사학자는 부지런해야 한다. 돌아가는 물레방아에는 얼음이 얼 새가 없다.

다섯째로, 역사가에게는 때로 검투사와 같은 용기가 필요하다. 정치인이 지식인에게 손을 뻗칠 때 제일 먼저 생각나는 인물이 역사가이다. 그의 말을 빌리면 자신의 정권에 정통성을 부여하는 데 큰 도움이 되기 때문이다. 지금도 마찬가지이지만, 박정희(朴正熙) 정권 시대에 그러한 정치적 조작(操作, manipulation)이 심했다.

그들은 그 댓가로 장관이며, 대학 총장 자리를 차지하며 호강했다. 그들은 아마 자기들이 역사에 명멸했던 국사(國師)의 역할을 한다고 생각했을지 모른다. 역사에는 그러한 "영혼의 노숙자들"(spiritual homeless)이 흔히 있었다. 막상 권력이 회유하고 협박할 때 지조를 지키기란 그리 쉽지 않았을 것이다.

여섯째로, 역사가는 큰 도서관이 있는 대도시에 살아야 한다.(『플루타르코스영웅전』「데모스테네스」§ 2) 역사가에게는 상상력과 예지력도 중요하지만, 끝내는 자료 싸움이다. 이집트 역사는 알렉산드리아 도서관에서 나왔다. 기원전 3세기에 부피가 큰 파피루스에 인쇄

된 장서가 30만 권이었다. 역사소설은 준(準) 역사학이다. 시바료타로(司馬遼太郎)나 홍명희(洪命熹)나 최인호(崔仁浩)나 에밀 루트비히(Emil Ludwig)는 준 역사학자이다. 그들은 나같이 어중된 역사학자보다 더 부지런했다.

그런 점에서 "자료를 혼자 보고 저만 아는 체하는 한국의 역사학"은 매우 후진적이다. 아무리 도서가 디지털화되었다 하더라도, 도서관이 책의 기증을 거부하여 무게로 폐지 회사에 팔아야 하는 이 시대에, 대학 교수가 정년 퇴직을 하면서 책을 "어떻게 버릴까?"를 고민해야 하는 사회는 선진국이 아니다.

문희수 교수에 대한 추모의 글

문희수 교수는 내가 만난 당대의 수재이자 기인이었다. 내가 한국외교사를 공부하다가 자료를 물으면, "○○○ 책 몇 페이지에 있다."고 대답한다. 찾아보면 틀림없이 있다. 이게 가능한 일인가?

한국과 프랑스의 명문대학을 거쳐 귀국했으나 그 괴벽스러운 성격 때문에 이 기재(奇才)를 받아 주는 대학이 없었다. 그의 학문을 아깝게 여긴 모교에서 그에게 한 강좌를 주었다. 감지덕지한 일이었으나 그는 일언지하에 거절했다. 자기의 전공과 맞지 않기 때문이라는 것이었다. 그렇게 오랜 시간 낭인 생활을 했다. 저 유명한 호남 암태도(巖泰島) 지주의 손주였으니 먹고사는 일에는 걱정이 없었다. 그러나 그의 기행(奇行)이 돈이 많아 그런 것은 아니었음이 분명하다.

그러다가 어찌 어찌하여 동학(同學)들의 도움으로 청주 서원(西原)

대학에 자리를 잡았다. 그는 강의가 있는 날이면 일찍 학교에 나와 빈 강의실에서 강의를 리허설(?)하고 강의실에 들어가 강의했다.

그런 그가 채용된 지 한 학기가 지난 어느 날, 학교 당국에 안식년을 신청했다. 안식년은 6년 근속한 다음에 주는 특혜인데. 총장이 기가 막혀 왜 그러냐고 물었더니, 실력이 부족하여 프랑스에 가서 몇 가지 더 공부하고 와야겠다고 대답했다. 총장은 학칙을 얘기했을 것이고, 그의 학문을 칭송했을 것이다.

그러나 문희수 교수는 막무가내였다. 총장은 할 수 없이 무급 휴직을 허락했다. 문 교수는 다시 프랑스로 가 자료를 수집하여 돌아와 필생의 작업으로 한국어·영어·독일어·프랑스어·일본어·중국어, 그리고 만년에는 러시아 자료를 읽어야 한다면서 러시아어를 공부했다. 그리고 7개국 자료를 이용하여 청일전쟁(淸日戰爭)의 집필을 시작했다. 쓰다가 의심이 들면 남이야 잠이 들었든 말든, 오밤중에 전화가 온다.

아, 그러나 나는 믿는 사람으로 하느님이 원망스러웠다. 그가 한창 집필에 몰두할 때 중증 파킨슨병에 걸렸다. 그러나 그는 포기하지 않았다. 마지막 단계에는 거의 누워서 손으로 쓰고 있다는 말을 들었다. 그러나 그는 탈고하지 못하고 눈을 감았다. 하늘나라에는 청일전쟁을 연구할 학자를 그리 다급하게 채용해야 할 일도 없을 텐데, 하느님은 왜 그리 일찍 그를 데려가셨을까?

술 담배도 안 하던 그는 70세(?)를 겨우 넘겼다. 하느님이 그에게 10년의 시간만 더 주셨더라도……. 너무 야속하고 안타깝다. 과거 100년, 향후 100년 안에 이 지구상에서 7개 국어로 청일전쟁사를 쓸 학자는 나오지 않을 것이다. 그 학문을 누가 이으려나? 너무 절통하다. 그 유고는 어디로 갔을까?

대관령(大關嶺)에서

신사임당(申師任堂)

친정어머니는 학처럼 늙어 강릉에 계시는데

慈親鶴髮在臨瀛(자친학발재임영)

내 몸은 장안으로 향하며 외로운 정을 품누나

身向長安獨去情(신향장안독거정)

머리 돌려 북촌을 바라보는 사이

回首北村時一望(회수북촌시일망)

흰 구름이 내려앉으니 저녁 산이 푸르구나

白雲飛下暮山靑(백운비하모산청)

승자와 패자의 차이

"승자의 기록은 태양을 받아 역사가 되고,
패자의 기록은 달빛을 받아 전설이 된다."

"이데올로기를 가진 자는 슬프다."
- 이병주(李炳柱), 『알렉산드리아』에서

이병주(李炳注)

역사의 국유화 시대

한국 현대사는 교조(敎條)의 반복적인 주입 시대였다. 반공과 배일과 우국심에 대하여 누구도 도전을 허락하지 않았다. 그것은 한국 국수주의 형성을 위한 집단 최면으로서 효력을 극대화하였다. 이 당시 우익적 분위기를 조작(操作)하는 방법으로서 두 가지의 우극(愚劇, folly)이 자행되었다.

첫 번째 집단 최면은 당시 초등학교 사회생활 교과서에 실린 이른바 "구멍 난 댐을 손으로 막은 네덜란드 소년의 신화"였다. 이 신화의 내용인즉, 네덜란드의 어느 소년이 제방의 구멍 난 곳을 손으로 막아 마을의 수해를 막을 수 있었다는 일화였다. 그러나 이 사실은 실제로 일어나지 않았던 허구의 동화였다.

나는 그 이야기가 궁금하여 1986년에 네덜란드의 현지를 찾아갔다. 현지 관리인에게 그 소년은 그 뒤 어찌 되었는지를 물었다. 그랬더니 그가 손을 내저으며, 한국 관광객들은 오기만 하면 그 소년의 얘기를 하는데 대답하기도 지쳤다며, 그런 사실이 없다고 분명히 말했다. 무너지는 제방을 초등학생이 주먹으로 막았다는 것이 될성부른 일인가?

네덜란드의 소년

그런데 내가 그 뒤 어느 날 강의실에서 이 예화를 들었더니 한 녀석이 손을 번쩍 들었다. 자기도 가 보았는데 그 소년의 동상이 서 있더라는 것이었다. 나는 기가 막혀 네덜란드문화원에 문의했더니, 한국의 관광객들은 오기만 하면 그 얘기를 물어 관광객 유치 차원에서 지금 네덜란드의 스파르담 (Spaardam)에 그 소년의 동상을 세웠다는 것이었다.

(http//blog.naver.com/panem?Redirect=Log&logNo=70071739649, 검색 2021. 2. 15.)

이 우화는 미국의 닷지(Mary M. Dodge : 1831~1905)라는 소설가가 꾸며낸 얘기로서 그는 『한스 브링커의 은빛 스케이트』(*Hans Brinker or Silver Skate,* 1895)라는 소설에서 그런 얘기를 했는데, 유독 그 얘기가 한국에서 크게 인용되었던 것이다.

두 번째 우극은 이른바 소크라테스(Socrates)의 유언, "악법도 법이다."라는 우화(寓話)이다. 이 우극의 내용인즉, 소크라테스가 도주할 것을 권고하는 제자들의 도움을 뿌리치고 "악법도 법이다."라며 독배를 마시고 죽음을 선택하였다는 신화이다. 이 신화는 한국의 중학교 도덕 교과서의 잦은 개편에도 불구하고 미래의 시민인 어린 학생들에게 공동체의 일원으로서 준법정신을 길러주고자 일관되게 등재하여 강조해 왔다.

　그 기본적인 논조는 법이나 규칙에 잘못된 것이 있더라도, 법은 법이기 때문에 정당한 절차를 거쳐 고치지 않는 한 마땅히 지켜야 한다는 것이다. 그러나 그가 "악법도 법이다."라고 한 인용은 원전에 근거가 전혀 없는 전설이거나 낭설에 지나지 않는다.(강정인, 1993) 법이라는 이름으로 사람 잡던 시절에 한국의 철학자들이 권력에 아부하느라고 꾸며낸 이야기이다.

독배를 마시는 소크라테스

화양동 만동묘의 추억

　내 고향은 충청도 괴산(槐山), 외갓집은 읍내에서 50리 떨어진 청천면 솔맹이[松面里]이다. 이인좌(李麟佐)와 이기붕(李起鵬)의 고향이고 송시열(宋時烈)이 살았다는 화양동이 그곳이다. 송시열은 "중화의 햇살이 따사롭게 비취는 마을"이라는 뜻으로 그 고을 이름을 화양동(華陽洞)이라고 바꾸었으니 뼛속까지 중화주의자였다. 엄마 등에 업혀 뽀드득 눈 밟는 소리를 들으며 외갓집을 가던 75년 전의 장면이 선명히 생각난다. 어제 함께 저녁 먹은 친구는 생각이 안 나는데…….

송시열(宋時烈, google)

화양동에 가면 만동묘(萬東廟)라는 사당이 있다. 임진왜란 때 중국 천자가 도와주어 살아난 것에 감사하여 지은 사당이다. 공자께서 "황하(黃河)는 만 번 굽이쳐도 끝내 동쪽에 이르는구나."(萬折必東)라 하여 서고동저(西高東低)의 지리적 이치를 설명한 것인데[『荀子』] 조선의 썩은 선비들이, "중국(明)이 멸망하니 중화의 문명이 동쪽에만 살아 있구나."라고 부풀려 해석했다.

어렸을 적에 우리는 소풍을 그리로 갔는데 담임 선생님은 만동묘의 계단을 올라가지 말라고 한사코 말리셨다. 비알이 너무 심하여 자칫 넘어지면 뇌진탕으로 즉사하도록 설계가 되어 있다. 왜 그리 경사가 가파른가? 중화의 마지막 후손인 조선의 백성이 중국 천자를 뵈러 올라가는데 어찌 뻣뻣이 서서 올라갈 수 있나? "개처럼 기어 올라가라"는 뜻이다.

만동묘의 계단
경사가 75°여서 "개처럼" 기어 올라가야 한다.

서울 송파에서 청나라에 항복할 때 세운 삼전도(三田渡) 한비(汗碑)보다 더 굴욕적이다. 흥선대원군(興宣大院君)이 이 계단을 올라가는데 위험하여 시종이 부액(扶腋)을 하다가 서원(書院)지기에게 호통을 들었다. 서원 유생들의 작폐는 말할 것도 없고 이 인근의 주막집 아낙도 세도가 등등했다. 대원군은 권력을 잡자 서원을 때려 부쉈는데 이 만동묘가 우선 대상이었다. 지금의 화양서원은 넋 나간 후손이 유물이랍시고 다시 세운 것이다.

지금은 바야흐로 중국의 자칭 굴기(崛起)의 시대이다. 한국을 핍박함이 한 무제(漢武帝)나 영락 대제(永樂大帝) 때보다 더 심하다. 황해(黃海)가 중국해(中國海)로 바뀌고, 공자학당(孔子學堂)에서는 여호와(Jehovah)가 아담(Adam)에게 중국말로 계시를 내렸다 하고, 모나리자(Mona Risa)는 중국의 남화(南畵)에서 배워 간 것이라고 가르친다. 우리가 동쪽 일본을 미워하느라고 정신을 판 사이에 서쪽에서 너무 많은 것을 잃었다. 중국의 위압이 자심함이 병자호란 이후보다 더심한 것 같다. 이것이 동이(東夷)의 참모습인가?

꿩에게서 배운다

내 고향 괴산에는 느티울이라는 너른 내가 있다. 강이라고 하기에는 그리 넓지 않고, 내라고 하기에는 너무 넓다. 느티울이라는 이름은 아마도 "느티나무 여울"[槐灘]이 음운 변화를 일으킨 것이리라. 1959년의 그 끔찍한 사라호 태풍 때 많이 부러지기는 했지만, 아직도 괴산에는 수령(樹齡) 500~600년의 느티나무가 많다.

나는 꿩

나무가 어찌나 큰지 가운데에 너른 공간이 있어 어렸을 적에 목말을 하고 친구들이 들어가 소꿉놀이를 했다. 미운 녀석은 나올 때 도와주지 않으면 혼자서 울다가 교육청 직원들이 퇴근하다가 건져주곤 했다. 사라호 태풍 때 여러 그루가 넘어졌는데, 서울의 어느 가구 회사가 한 그루에 학습용 자[尺] 1미터짜리를 천 개 만들어준다는 조건으로 가져갔으니 그 크기를 알 만하다.

도심이랄 것까지는 없지만 읍내를 조금 벗어나 느티울로 우리는 소풍을 갔다. 그곳 촌로들의 이야기에 따르면 가끔 꿩이 이 산에서 강 건너 저 산으로 날아가다가 중간에 빠져 죽는다고 한다. 강은 거리의 눈대중이 평지보다 어렵다. 꿩은 장거리 철새가 아니라 이 골짜기에서 저 골짜기로 넘어가는 정도의 비상 실력을 가졌을 뿐이다.

그런데 강폭의 눈대중이 어려운 꿩은 70%의 거리까지 날아갔다가 힘이 빠지면 중도에 포기하고 되돌아오다가 지쳐 빠져 죽는다. 곧장 갔으면 저쪽까지 날아갈 수 있을 텐데 지레 포기하고 되돌아오다가 죽는다. 죽은 꿩을 보면서 어른들이 우리에게 이렇게 말씀하셨다.

"인생도 저런 거란다."

어린 시절에는 듣고 그러려니 했는데 나이 들고 철들며, 사느라 보대끼다 보니 어른들의 말씀이 새록새록 생각날 때가 많다. 다른 아이들은 어찌 생각했는지 모르지만, 나에게는 그 꿩의 이야기가 일생의 가르침이 되었다. 어차피 인생은 힘들고 지칠 때가 많다. 그럴 때면 나는 느티울에 빠져 죽은 꿩을 회상하며 일어섰다.

그곳이 지금은 한국에서 가장 아름다운 둘레길이 되었다고 한다. 한번 가 보자, 가 보자 하면서도, 가위눌린 고향의 서러움 때문에 아직 못 가 봤다. 이제 가려니 그 둘레길을 걷기에는 내 장딴지의 힘이 너무 허약하다. 내가 그 꿩인가?

잔치의 문화인류학

개화기에 한국에 들어온 서양인들, 이를테면 선교사나 여행가, 외교관들이 한국인의 생활에서 가장 기이하게 생각한 부분은 관혼상제(冠婚喪祭)에 너무 많은 돈을 쓴다는 점이다. 장례의 치산(治山)이나 혼수 등이 낭비라는 지적은 우리가 납득할 수 있는 점이지만, 음식 문화에 대해서는 다른 생각이 있을 수 있다.

이를테면 한국인의 음식 대접은 푸짐해야 칭찬을 듣는다. 그리고 대갓집의 잔치에는 동네 사람이 밥을 짓지 않고서도 와서 배불리 먹을 수 있는데, 일부 탐식증(貪食症)이 있었던 것은 사실이지만 그 안에 담긴 문화인류학적 측면도 고려해볼 필요가 있다.

곧 빈부의 차이가 극심하고, 그래서 하층민들은 영양실조 또는 영양 결핍에 시달리던 사회에서 대갓집의 잔치는 엄마들이 얼마의 일손을 제공하고, 자기와 어린 자식들에게 육류단백질을 제공하는 기회였기 때문이다.

잔치가 벌어지는 날이면 가난한 집 엄마들은 자식들을 불러 굴뚝 뒤로 돌아가 욱여넣듯이 먹이고, 그것도 모자라 저녁에 집으로 돌아올 때는 눈치껏 음식을 치마폭에 싸 들고 와 식구들을 먹였다. 주인마님도 그것을 잘 알고 있으면서 모른 체했다. 이것이 우리 조상들의 잔치 문화의 미덕이었다. 허례니, 낭비니 하는 이름으로 몰아붙일 일만은 아니다. 그건 굶어 보지 않은 사람들의 배부른 소리이다.

잔치

민중과 함께 죽을 것인가? 그들의 손에 죽을 것인가?

역사에서 민중의 요구를 불합리하게 거부한 지도자들은 민중의 손에 사라졌고, 민중을 과신하여 그들과 함께 질주한 지도자들은 그들과 함께 죽었다.

(『플루타르코스영웅전』「포키온전」 § 2)

서울 북촌 사투리

세월이 많이 바뀌었다고는 하지만, 지금도 뚝섬 사람과 마포 사람의 사투리가 다르고, 청계천 북쪽 북촌 사람과 그 남쪽 남산골 토박이의 사투리가 다르다. 서울 토박이들은 비가 오면 "비가 오신다."고 말한다. 이것은 무슨 뜻일까? 하늘에 대한 감사와 공경의 뜻이 아닐까?

나는 영어로 논문을 쓰면서 이를 번역할 자신이 없었다. 영어로 어떻게 표현해야 하나? 어느 영문학자에게 물었더니, 이는 영어로 번역이 안 되는데, 억지로라도 해야 한다면 이렇게 하는 것이 어떨까? 라고 말했다.

"Holy rain cometh down."

세계의 3대 상권(商權)

세계에는 3대 상인이 있다. 중국인, 아랍인[아르메니아인], 그리고 유대인이다. 그런데 그들의 장기(長技)가 서로 다르다. 중국인은 파는 데 능숙하고, 아랍인은 사는 데 능숙하며, 유대인은 거간(居間, dealer)에 능숙하다. 그러면 한국인은 어떻게 살아남아야 하나? 한국인이 살아남는 길은 손재주이다. 젓가락으로 콩자반 두 개를 집을 수 있는 민족은 이 세상에서 한국인밖에 없다.

크레타 청년의 이야기

크레타(Creta)에 한 청년이 살았다. 그는 늘 입버릇처럼 말하기를, "크레타인들은 거짓말쟁이이다."라고 했다. 그런데 그는 심한 거짓말쟁이였다. 그렇다면 크레타인은 거짓말쟁이인가, 거짓말쟁이가 아닌가?

문화인류학의 입장에서 본 한국인의 건강

한국인들이 체육대회에 나가면 왜 후반전에 체력이 떨어질까? 육류단백질의 섭취가 부족했기 때문이다. 그 가운데 하나가 우유이다. 인류의 역사를 돌아보면 당대에 육류 소비량이 가장 많았던 민족이 그 세계를 지배했다. 우유가 남아 목욕을 했던 로마, 몽골 그리고 지금의 미국이 그렇다. 육류 섭취량이 많아 세계를 지배했는지, 아니면 세계를 지배하고 나니까 육류를 많이 먹게 되었는지? 나는 앞의 것이라고 믿는다.

밀림의 초식동물은 패자(霸者)가 될 수 없다. 육식 민족은 피를 볼 때 비극으로 여기지 않고 먹이로 본다. 중국이 세계를 제패할지, 못할지의 문제를 풀려면 중국의 1인당 육류단백질의 소비가 언제 미국을 추월하지를 보면 알게 된다.

우리는 유목 민족이던 고구려가 멸망한 뒤에 육류를 분해하는 효소인 락타아제(Lactase)가 퇴화하여 우유를 먹으면 설사를 한다. 그러나 낙심할 것은 없다. 6개월을 계속 마시면 락타아제가 다시 생성된다고 하니까.

왜 한국의 엄마들은 모두 무릎이 아픈가?

어떤 텔레비전 방송에서 〈엄마의 봄날〉인가 하는 정규 방송을 하는데, 한결같이 허리와 무릎을 못 쓰는 할머니가 나온다. 전철을 타면 무릎 아파서 먼저 앉으려고 허둥대는 할머니가 많다.

꼬부랑 할머니
영화 〈집으로〉에서

88올림픽 때 100m 달리기에 금메달을 딴 칼 루이스(Carl Louis)와 500m에 금메달을 딴(뒤에 실격) 벤 존슨(Ben Johnson)이 서울에서 전철을 탔는데 저 끝에 빈자리가 있기에 둘이 서로 차지하려고 달려갔다. 누가 자리를 차지했을까? 한국인 아줌마였다.

왜 세계에서 우리의 할머니만 허리와 무릎을 못 쓸까? 의자 생활을 하지 않고 쪼그려 앉아 밭매고, 조개 까고, 밥 짓기를 했기 때문이다. 그런즉 할머니도 의자에 앉는 버릇을 익혀야 한다. 낙상하지 않도록 조심하면서…….

골다공증(骨多孔症)

우리 집안의 한 어른이 골다공증으로 세상을 떠났다. 어디에 부딪히기만 하면 골절이 되고 그래서 누워 살다가 근육위축증으로 별세했다. 미국에서도 이를 bone-densitology라 하여 무서운 병으로 여긴다.

미국 유학 시절에 신문에서 본 기사인데, 군대 간 손주가 휴가를 왔다. 할머니를 보고 너무 반가워 껴안았는데 갈비뼈가 골절되어 그 병으로 세상을 떠났다는 것이다. 그러니 골다공증이 얼마나 무서운 병인가? 그러므로 할머니가 될수록 칼슘과 육류단백질이 많이 든 사골국을 많이 먹어야 한다. 곰국이 달래 좋은 게 아니다. 우리 선조들의 지혜가 담긴 음식이다.

어느 정치인이 도심에서 반독재 투쟁을 하면서 단식을 했다. 가끔 보온병에서 물(?)을 마셨다. 물을 마시려면 투명한 페트병으로 마시지 왜 보온병으로 물을 마시나? 그 보온병 안에 든 것은 물이 아니라 사골국이었단다. 이건 단식이 아니라 보양 휴가였다.

결핵(結核)

한국의 폐결핵 환자 수는 OECD 가운데 1위로서 5만 명을 넘고 있다. 세계 10대 강국이라고 자부하는 한국에서 왜 이리 원시적인 폐결핵이 창궐하는가? 나는 의학적인 소견을 말할 입장이 아니지만, 문화인류학적으로 살펴보면 바닥 잠을 자는 민족이 폐결핵을 많이 앓는다. 잠자는 동안 나쁜 공기가 침전(沈澱)하는 높이와 베개를 벤 코의 높이가 같기 때문이다.

따라서 한국인이 잠자는 시간은 나쁜 공기를 마시는 시간이다. 그러므로 먼저 침대 생활을 해서 나쁜 공기로 말미암은 만성 기관지 질환을 피해야 한다. 침대에서 자면 허리가 아프다는 여인들의 푸념이나 등을 뜨끈뜨끈 지져야 한다는 산후 조리는 반문명적이다. 미국의 여인들은 아기 낳고 따뜻한 미역국은커녕 아이스크림을 먹고도 멀쩡하다.

내 학문의 등대 조재관(趙在瓘) 교수님 영전에

나는 늘 박복하다고 생각했지만 훌륭한 선생님을 만났다는 점에서 무척 행운을 타고난 사람이다. 대학 생활에서 물들인 야전 점퍼

조재관 교수님

가 내 교복이었으나 강의실 앞자리에 앉아 남 못지않게 열심히 공부했다. 저학년 시절에 나는 국제정치학을 가르치던 조재관(趙在瓘) 교수님의 강의에 넋을 잃었다. 다른 학생들도 마찬가지였을 것이다.

동서고금을 넘나드는 해박한 지식과 호소력 있는 강의를 들으며 가당치도 않게 "나도 저분처럼 될 수 있었으면……." 하는 소망을 가슴에 품었다. 그분도 나를 무척 아껴 주셨다. 나는 그분의 원고를 정리하고 자료를 찾는 일을 도와드리려고 신촌 봉원사(奉元寺) 밑의 영단 주택에 사시는 댁에서 며칠을 보낸 적이 있는데 이때가 나에게는 운명적인 시간이었다.

선생님은 쉬는 시간이면 자신이 살아온 이야기를 들려주셨다. 연세대학교 정치학과를 다니면서 외무고시를 준비할 때 전기도 없는 자취방에서 밤이면 졸음을 쫓으려고 면도칼로 손가락을 베었고, 상처가 덧나지 않도록 촛불에 다시 지지면서 공부하여 3학년 때 외무고시에 합격했단다.

선생님은 그러는 동안에 흐른 피로 쓴 "태평양의 등대"라는 혈서를 내게 보여주셨다. 모조지 반절 크기였다. 나는 무서웠다. 그 이야기를 들으면서 나는 중국의 춘추전국 시절에 공부하며 졸음을 쫓기 위해 송곳으로 허벅지를 찌르는데 그 피가 종지뼈까지 흘렀다는 소진(蘇秦)의 고사[蘇秦刺股]를 생각했다. 고시에 합격한 뒤에 책을 정리하고 나니, 자신의 책은 두 권뿐이었다.

고시에 합격한 조 교수님은 벼슬길에 오르지 않고 학계로 진출했다. 그분은 늦은 나이에 단돈 50달러를 들고 미국 버클리대학으로 유학을 떠났다. 머리를 모두 밀고 영어 발음을 고치려고 조약돌을 입에 물고 발음을 연습하며 공부하셨다고 한다. 선생님이 『공산주의 간부 훈련 제도』로 박사학위를 받고 귀국하여 첫 강의실에 들어설 때 학생들은 작은 꽃다발에 박수로써 전설 속의 학자를 맞이했다. 나는 그 학위 논문을 번역하여 출판(평민사, 1985)해드렸다.

그러던 어느 날 조 교수님이 나를 부르더니 문득 이렇게 말씀하셨다.

"내가 죽으면 네가 내 묘비명을 세워야 하지 않겠니?"

한때는 축구 선수였을 만큼 그토록 건강하신 분의 말씀에 나는 너무 섬뜩하고 송구하여 얼굴도 쳐다보지 못하고 있는데, 선생님이 이렇게 불러주셨다.

"여기 조약돌로 진주를 빚으려고
몸부림치며 살다 간
태평양의 사나이 잠들다."

덧붙여 어느 외국인이 물으면 이렇게 번역해 주라고 말씀하셨다.

"Here lies a Pacific man, who tried to turn a pebble into a pearl."

그리고서는 그해 선생님은 위암 진단을 받았다. 죽음이 임박하자 사랑하는 제자 몇 사람을 불러놓고 유언을 겸한 강의를 했다. 그 모임의 이름은 선생님의 호를 따 천석학원(天石學院)이라 했다. 선생님이 미국에서 입에 물고 발음을 공부하던 돌멩이가 책상 위에 놓여 있었다.

임종이 가까워지자 선생님은 건국대학교 대강당에서 제자들에게 작별의 강의를 한 다음 며칠 뒤에 세상을 떠나셨다. 그때가 1981년, 연세가 50세였으니 얼마나 죽음이 원통했을까? 나는 그분에게서 공부란 얼마나 독하게 해야 하는지를 배웠다.

강단(講壇) 공포증

페리클레스

페리클레스(Pericles)가 위대한 웅변가로 평가받는 것은 묻는 말에 모두 대답하려고 하지 않았기 때문이다. 페리클레스나 데모스테네스(Demosthenes)는 모두 심한 우울증을 앓았다.

나는 신입생 환영 특강을 몇 번 했다. 그 시절에는 합동 특강이었고, 학부모까지 동반했다. 청중이 1만5천 명 정도가 된다. 장소는 잠실체육관이었다. 강의하다가 곧 죽을 것만 같은 공황장애가 왔다. 나는 며칠 동안 강연장을 답사하고, 정신과 의사를 만나 상담하고 강연을 마쳤다. 그러나 내가 그렇게 두렵고 고통스러워한 것을 아는 청중은 아무도 없었다.

역사에 남을 웅변가인 데모스테네스나 페리클레스도 연단에 올라가면 떨었다. 그러나 시민들은 그것을 알면서도 양해했다. 하물며 나 같은 속인이야. 어떤 저명한 연극 배우는 출연하러 떠날 때면 '차라리 비행기가 떨어졌으면……' 하는 생각을 했다고 한다.

수줍음

데모스테네스가 젊은 날에 트리아시오(Thriasio)의 에우노모스(Eunomos) 제독을 만났다. 이미 노인이 된 그는 데모스테네스를 보자 호되게 나무랐다.

"그대는 페리클레스에 견줄 만한 웅변의 자질을 타고났으면서도 수줍음과 심약함으로 그 훌륭한 재주를 날려 버렸다. 그대는 군중 앞에서 담대하지도 못하고 법정 투쟁에 필요한 체력도 다지지 못해 좋은 재주를 시들게 하고 있다."

이 꾸짖음이 데모스테네스에게 영감

데모스테네스

을 주었다. (『플루타르코스영웅전』「데모스테네스전」 § 5) 그러니 강호의 젊은이들이여, 강단공포증에서 벗어나라. 마틴 루터 킹(Martin L. King)도 떨었고, 오바마(B. Obama)도 떨었다.

나는 수업 시간에 선생님이 문제를 내면, 수줍어서 "저요, 저요." 하고 손을 들어본 적이 없다. 혼자서 답안을 궁시렁거리면 곁의 녀석이 내 말을 듣고 답을 맞혀 선생님께 칭찬을 들었다. 나의 교수 생활 40년 동안 나를 괴롭힌 것은 두통과 수줍음이었다.

다리 힘

가수의 몸에서 가장 건강해야 할 부분은 어디일까? 목일까? 성대일까? 뱃심일까? 아니다. 다릿심이다.(김형균,『교수신문』2019. 9. 28.)

성직자가 갖춰야 할 미덕은 튼튼한 다리, 아름다운 목소리, 그리고 비상한 기억력이다. 원시 사회에서의 성직자(제사장)는 동네방네 돌아다녀야 하고, 스피커가 없으니 목소리가 커야 하고, 글자가 없으니 사람 이름과 제사·돌·환갑·생일·혼사의 일력(日曆)을 모두 외워야 한다.

원시 사회에서는 여성이 족장인 모계중심 사회였다. 그러나 임신과 출산과 체력 감소로 그 일을 남성에게 넘겨줄 수밖에 없었다. 그래서 모계중심 사회가 부계중심 사회로 바뀌었고, 남존여비가 생겼다. 서양 사람들은 동양 사회의 남성우월주의를 야만이라고 비웃지만, 서양의 남성우월주의는 동양보다 심하다. 성경을 보라.

호적(胡適)과 파금(巴金)

중국 근대화의 아버지라는 칭호를 듣는 호적(胡適 : 1891~1962)은

호적(胡適)

파금(巴金)

본명이 사미(詞糜)였으나 다윈(Charles Darwin)의 『진화론』에 등장하는 적자생존(適者生存)의 글을 읽고 너무 감동하여 이름을 적(適)으로 바꾸고, 자(字)도 적지(適之)라고 지었다.

파금(巴金 : 1904~2005)은 본명이 이요당(李堯棠)이었으나 바쿠닌(M. Bakunin, 巴枯寧)과 쿠로파트킨(Kuropatkin, 庫羅帕特金)의 무정부주의에 심취하여 그들의 이름을 따서 파금(巴金)이라고 지었다.

이념을 좇아 이름을 짓는다는 것이 쉽지는 않았을 것인데, 그 뜻이 가상하다. 중국에는 호적을 비판하는 책자가 호적의 원서보다 많다. 한국의 어느 좌파 인물은 김일성(金日成)의 모란봉(牡丹峯) 정신을 이어받자고 이름을 ○모란(○牡丹)으로 지었다.

엄복(嚴復)의 현학(衒學)

엄복(嚴復)

중국의 개화기에 엄복(嚴復 : 1854~1921)이라는 지식인이 있었다. 일찍이 영국에 유학하여 토마스 헉슬리(Thomas Huxley)의 진화론에 심취하여 그 이론을 청국의 망국(亡國) 이론에 대입하여 썼다. 그는 헉슬리의 『사회진화론』을 토대로 『천연론』(天演論)이라는 번안서(飜案書)를 냈다. 이를 읽어본 양계초(梁啓超 : 1873~1929)가 이렇게 말했다.

"너무 어려워 내가 읽어도 무슨 소리인지 모르겠으니 쉽게 풀어 써보시지요."

그랬더니 엄복이 이렇게 대답했다.

"학문이란 어려워야 한다. 쉽게 써놓으면 개나 소나 다 읽고 아는 척 한마디씩 한다."

그리고 고쳐 쓰지 않았다. (양계초가 그런 말을 했지만, 그의 글도 사실은 만만찮게 현학적이다.) 양계초가 읽고서도 모르는 엄복의 글을 한국의 학자들이 많이 인용했다. 나도 그 가운데 한 현학자(衒學者)이다. 엄복의 글을 아는 체하는 사람은 대학자이거나 현학자이다.

글쓰기

나는 한 편의 글을 시작할 때, 특히 대작을 시작할 때면 신열(身熱)이 오르고 몸살 기운을 느낀다. 앞으로 가야 할 길에 겪어야 할 고뇌와 고통, 지루함에 대한 두려움일 것이다. 며칠을 앓다가 글을 시작하면 그때는 또 다른 신열(神熱)이 오른다. 무당의 신기(神氣)와 다를 것이 없다. 그 신열은 탈고할 때까지 계속된다. 이제 겨우 글 쓰는 법을 조금 알 것 같다.

친일 논쟁

지금 우리 사회에서 벌어지고 있는 친일 논쟁은 "먼저 태어난 사람의 슬픔과 나중 태어난 사람의 행운"의 차이일 뿐이다. 친가(親家)의 3대(아버지, 할아버지, 증조할아버지), 처가(妻家)의 3대, 외가(外家)의 3대, 합하여 구족(九族)의 이력서를 놓고, "우리 집안은 친일한 적이 없다."고 말할 수 있는 가문은, 거지와 화전민 빼놓고는, 거의 없다.

일제시대의 사람 대부분은 제국대학에 들어가 고등문관시험에 합격한 다음 판·검사나 군수가 되어 다쿠시(taxi) 타고 화신백화점에 가서 엘리베이터 타면서 쇼핑하는 사람들을 부럽게 바라봤다.

애국과 반일을 혼동하는 나라

한승조 교수

2005년 3월 4일, 『오마이뉴스』는 한승조(韓昇助, 고려대학교 교수, 본명 韓己植)가 일본 평론지에 썼다는 논문 한 편을 보도했다. 한승조의 논문은 "공산주의·좌파 사상에 기인한 친일파 단죄의 어리석음, 한일합병을 재평가하자."는 제목으로 『산케이신문』이 발행하는 월간지 『정론(政論)』 4월호에 실렸다. 그의 논문 요지는 이렇다.

"말기의 조선은 일본·중국·러시아의 각축장이 되었고, 약육강식 시대에 근대 국가의 형태를 갖추지 못한 조선은 이 세 나라 가운데 어느 한 나라에 먹히게 운명 지어져 있었다. 만일 조선이 중국이나 러시아에 먹혔다면 지금쯤은 중국이나 러시아에 흩어져 소수민족으로 살아가고 있을 것이다. 그러므로 일본에 먹힌 것은 그나마 불행 중 다행이라고 보아야 할 것이다.”

그가 하고 싶은 말은, “어차피 멸망할 나라였다면 러시아에 먹히느니 차라리 일본에 먹힌 것이 덜 불행했다.”는 것이었다. 그의 말은 맞는 말이었다. 그런데 국내의 보도 매체들은 “한 교수가 일제 강점을 축복이라고 주장했다”는 취지로 보도했다. 대부분의 매스컴이 한승조에게 돌을 던졌다. 그리고 그는 국내 애국 단체들로부터 테러에 가까운 공격을 받고 명예교수직을 사임한 뒤 불우하게 생애를 마쳤다.(http:// www.newstown. co.kr/제6935호) 이것이 한국인의 대일 인식의 현주소이다.

젊은이는 무엇으로 사는가?

젊은이여, 이제 서정적 고민에서 서사적 고민으로 옮겨갈 때가 되지 않았을까? 어떤 핸드폰을 살까? 남친, 여친, 미팅에 입고 갈 바지는? 이 모든 것이 지금 그대에게 소중하다. 그러나 이제는 조국, 역사, 인류, 전쟁과 평화, 미래를 고민할 때가 되지 않았는가?

무식과 무능

무식하고 부지런한 사람이 가장 위험하며,
착하고 무능한 사람이 가장 불쌍하다.

광야(曠野)

이육사(李陸史)

까마득한 날에 하늘이 처음 열리고
어디 닭 우는 소리 들렸으랴

모든 산맥들이
바다를 연모(戀慕)해 휘달릴 때에도
차마 이곳을 범(犯)하던 못하였으리라

끊임없는 광음(光陰)을
부지런한 계절이 피어선 지고
큰 강물이 비로소 길을 열었다

지금 눈 내리고
매화 향기 홀로 아득하니
내 여기 가난한 노래의 씨를 뿌려라

다시 천고(千古)의 뒤에
백마 타고 오는 초인(超人)이 있어
이 광야(曠野)에서 목 놓아 부르게 하리라.

이육사(李陸史)

대롱 시각[管見]

F. 베이컨

원시시대에 동굴에서 사는 사람들은 늘 동굴의 입구가 동쪽인 줄로 알았다. 그러나 사실상 대부분의 동굴은 햇살을 향해 있었기 때문에 남향이었다. 남향받이 동굴을 동쪽으로 안 것은 그 입구에서 먼저 날이 밝아왔기 때문이다. 우리의 삶에는 이런 허구가 많다. 베이컨(Francis Bacon)은 이를 "동굴의 허구"(*idola specus*)라 말했다. 인생에서 이렇게 속고 사는 경우는 허다하다.

데카르트의 가르침

데카르트(René Descartes : 1596~1650)는 이런 말을 남겼다.

"나도 이제 인생을 절약해야 한다."
(I have to use remaining years of my life carefully and usefully. *Method,* Chap. 6)

데카르트가 이 말을 할 때 나이가 마흔한 살이었다.

르네 데카르트

"학자는 언제인가 스승과 헤어져야 할 때가 있다." (*Method*, Chap. 9)

"여러 사람이 만든 작품이 한 사람의 손으로 만들어진 것보다 작품성이 떨어지는 예는 흔히 있다."

(*Method*, Chap. 11)

"학자들이 앞서 주장하지 않은 것은 아무것도 없다."

(*Method*, Pt. 2, § 15)

"진리를 깨우치기까지 아무런 고통도 없었더라면 나는 아마 그 밖의 진리들을 깨닫지 못했을 것이다."(*Method*, Pt. 6, § 70)

나는 늘 데카르트의 글을 너무 늦게 읽은 것을 후회했다.

나의 유학 시절

나는 처자식을 다 두고 1985년 마흔네 살의 늦은 나이에 미국 유

워싱턴대성당(Washington National Cathedral)

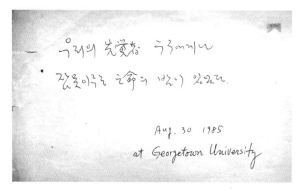

워싱턴 유학 시절 내가 기숙사에 써 붙인 벽보(1985~1986)

학을 떠났다. 병원을 갈 때도 아내가 데려다주던 나에게 가족도 떼어 놓고 미국으로 간다는 것은 모험이었고 두려운 일이었다. 케네디공항에 내리니 공황장애가 왔다. 아이들의 입시 문제도 있고, 경제적 부담도 커 함께 갈 수가 없었다. 아이들이 너무 보고 싶어 미칠 것 같았다. 그럴 때면 미국에서 두 번째로 크다는 워싱턴대성당(Washington National Cathedral)을 찾아갔다. 이미 문이 닫혔다. 나는 얼어붙은 철책을 잡고 울며 기도하고 돌아왔다.

100년 된 내 아파트의 침대 밑에는 방울 쥐가 놀러 왔다. 그것이 반가웠다. 그럴 때면 밖으로 튀어 나가 미친 듯이 노래를 불렀다. 그때 유행한 것이 〈사랑의 미로〉였다. 4절까지 소리를 지르며 아메리칸대학(American University)까지 가면 한국 유학생들의 재잘거리는 소리가 들리고 그러면 좀 마음이 풀렸다.

그러고도 못 견디면 대학병원의 외국 유학생을 위한 정신과 의사를 찾아갔다. 딱히 할 말도 없었다. 그냥 울면 의사가 위로해 줬다. 실컷 울고 나오면 며칠은 견딜 만했다. 그때 의사가 고독을 이기는 법을 가르쳐 주었다.

유학생이 고독을 견디는 10가지 방법

1) 기지개를 켠다.

2) (서랍을) 청소한다. (이 방법이 참으로 오묘하다.)

3) 즐거운 일을 추억한다.

4) 산책(달리기)을 한다.

5) 음악을 듣는다.

6) 차를 끓여 마신다.

7) 친구를 만나 담소를 나눈다.

8) 편지(낙서)를 쓴다.

9) 마트에 간다.

10) 목욕을 한다.

　* 절대로 그리운 사람에게 전화하면 안 된다. 그 목소리를 듣고 끊으면 더 괴롭고 보고 싶기 때문이다.

　나는 워싱턴의 조지타운대학에 학적을 두고 주로 연방문서보관소(NARA)에서 한국 현대사의 일차 사료를 복사하며 시간을 보냈다. 나는 연방문서보관소에서 한 사람과 운명적으로 만났다. 그는 하워드(Howard)대학교의 방선주(方善柱) 교수였다. 저 유명한 방지일(方之日) 목사님의 아들인 그는 일제 시대에 만주에서 태어나 북한에서 어린 시절을 보내고 미국으로 건너가 역사학을 공부한 풍상(風霜) 탓이었는지 초췌해 보였다. 그가 바로 한국 현대사 연구자들 사이에 회자(膾炙)되던 그 사람이었다.

　내가 그를 처음 만났을 때 그는 나를 박절하게 대했다. 많은 한국의 학자들이 와서 자료 몇 박스를 복사해 휭하니 다녀가면서 박사가 되고 논문을 쓰는 것이 그로서는 가당찮아 보였던 것이다. 그는 연방문서보관소에 개인용 복사기를 붙박이로 가져다 놓고 7년 동안 10만 쪽을 복사했는데, 아직도 한국전쟁이 어떻게 해서 일어났는지 모른다고 말하며 처연(凄然)한 표정을 지었다.

나의 미국 생활은 아주 짧았다. 한 달에 800달러를 받는 국비유학생이니 생활은 궁핍했다. 그 과정에서 미국의 명문 대학 학생과 교수들이 얼마나 치열하게 살고 있는지를 내 눈으로 확인하며 다시 개안하는 기회를 가진 것이 내 인생에 큰 전환점이 되었다.

조지타운대학의 로윈저도서관(Lauinger Memorial Library)에서는 1년에 한두 명씩 시체가 실려 나간다. 24시간 개방하는 열람실에서 공부하다가 과로로 죽는 것이다. 청년이 공부하다 죽는 나라는 망하지 않는다.

교수라는 직업

교수가 되려면 3대에 걸쳐 적덕(積德)해야 한다고 그런다. 한국 교수의 수입은 근로자 상위 3%에 이른다. 괜찮은 편이다. 특히 한국 교수의 봉급은 연구 실적에 견주어 높다. 그러나 교수는 남들보다 7년을 벌이 없이 청춘을 보내야 한다. 그래서 그런지 최근 여론 조사에 따르면 교수는 존경하는 인물로서 1위이지만 되고 싶은 직업으로서는 12위였다. 교수 임용이 어려운 것은 사실이지만 얼마나 훌륭한 논문을 썼느냐가 문제이다. 어차피 누군가는 뽑히지 않던가?

아마도 교수들의 삶을 보니 "공부는 고달프다."(『구약성서』「전도서」 12 : 9)는 것을 안 것 같다. 그래도 자녀들의 직업으로 교수를 권고할 만하다. 그러나 교수를 성직으로 여기지 않으려면 그 길을 가지 않는 것이 학생과 자신을 위해 좋은 일이다. 교수가 좋던 시절이 다 지나갔는지, 아니면 지금이 교수하기에 낙원인지는 보는 이에 따라 다르다.

고대의 학문은 귀족의 전유물이었다. 중세의 학문은 천재들의 몫이었다. 근대의 학문은 돈의 결실이었다. 그러나 지금의 학문은 누구의 가슴이 더 뜨겁고 강철 같으냐에 달렸다. 교수를 골프 치고 포도주 마시기에 가장 좋은 직업으로 여기는 사람이 많다. 어떤 이는 골프를 얼마나 쳤는지 손바닥의 굳은살이 두꺼비 등 같았다. 앉으면 골프 얘기였다.

교수는 글로 말한다지만 꼭 그런 것만도 아니다. 오히려 그보다 교수는 제자로써 말하는 경우가 많다. 내 책의 수명은 얼마나 될까? 내가 세상을 떠난 다음에도 내가 쓴 책 가운데에서 읽힐 책이 있을까?

예수께서는 죽음에 앞서 이렇게 기도하셨다.

"이 제자들을 통하여 제가 영광스럽게 되었습니다."

(「요한복음」 17 : 10)

장수(長壽)하는 직업

석학들은 장수했다. 장수했기에 석학이 되었는지, 아니면 석학이 되었기에 인생이 여유롭고 행복하여 장수했는지를 가리기는 쉽지 않다. 불후의 대작을 쓰기에는 30년의 세월이 결코 길지 않다. 대학 교수들이 비교적 장수하는 편이다. 그 가운데에도 식물학과, 철학과, 역사학과, 정치학과의 교수들이 장수하고, 건강을 다루는 학과 교수들이 단명한다. 이 역설을 어떻게 설명해야 할까?

고승(高僧)은 왜 장수하는가? 고승이어서 장수하는가? 아니면 장수하다 보니 고승이 되었는가? 수녀, 청신녀(淸信女)와 같은 여성 성직자들은 왜 그리 곱고 평화스러운가? 곱고 평화스럽다 보니 성직자가 되었나? 아니면 성직자가 되고 나니 곱고 평화롭게 되었는가?

내가 마키아벨리를 좋아하는 이유

인간의 내면은 그리 고상한 것만은 아니다. 인간의 사악한 측면을 순화하고자 동원된 것이 교육(독서)과 종교(수양)이지만, 그러한 외부적 충격이 인간의 본성을 바꾸지는 않는다. 교회와 성당도 사람 사는 곳임에 다름이 없다. 사기꾼도 있고, 먹이를 찾아 헤매는 다단계 판매원도 있다. 본디 착하던 사람은 착한 일을 해야 할 경우가 더 생기고, 사악한 사람은 자신이 구원을 믿고, 영생을 믿고, 부활을 믿는다는 것으로 허물을 속죄한다.

중세, 곧 종교 지배의 사회에서는 엄숙주의(rigorism)가 최고의 가치였다. 이런 엄혹한 질서 속에서 인간 내면의 악의도 드러내 놓고 담론해 보자고 주장한 마키아벨리(Nicolo Machiavelli)는 참으로 용기 있는 사람이었다. 그래서 나는 그를 좋아했고, 그의 『군주론』을 주석했다.

"자기 땅을 잃으면서까지 조국의 통일을 바라는 사람은 없다."

(『군주론』, Allen H. Gilber의 해제, 1941)

마키아벨리

한국의 통일지상주의자나 이상론자들에게 나는 이 말을 강조한다.

"아비 죽인 원수는 세월이 가면 잊히지만, 아내와 땅을 빼앗아 간 사람은 죽어서도 못 잊습니다."(『군주론』 17 : 4; 19 : 1)

소작농의 자식인 나에게 이 말은 참으로 절절하게 다가온다.

"위대한 궁수는 과녁보다 조금 높게 겨냥하여 활의 시위를 당겨야 합니다."(『군주론』 6 : 1)

나는 졸업생의 종강에서 꼭 이 말을 들려준다.

"지금의 우리 인생이 존재하는 것은
첫째는 운명(fortuna)이며,
둘째는 이제까지 쌓은 덕망(virtus)의 덕분이며,
셋째는 역사가 부르는 순간(calling)에 당신은 거기에 있었는가?
하는 세 가지로 결정됩니다." (『군주론』 25장)

인간이 신 앞에 얼마나 겸손해야 하는가를 생각할 때면 나는 이 구절을 명상한다. 여기에서 운명이라 함은 사람 만나는 인연을 뜻한다. 운명은 길을 강요하지 않는다. 선택은 당신의 몫이다.

같은 쑥돌[화강암]이라 할지라도 고승(高僧)을 만나면 석굴암이 되고 장의사를 만나면 망주석이 된다. 하물며 인생임에랴. 대관령의 빗물이 간발의 차로 동쪽으로 흐르면 창해가 되고, 서쪽으로 흐르면 황해가 되듯이 역사의 운명이 결정되는 데는 그리 오랜 시간이 걸리지 않는다.

민주주의는 경험이다

비민주적인 사회에서 살던 권력자나 마조히스트들은 그 사회가 민주화될 때 독재에 대한 심한 금단(禁斷) 현상을 느낀다. 독재자는 내면적으로 볼 때 표독스럽기보다는 겁쟁이가 많다. 그가 진실로 독종이었다면 민중을 압제할 이유가 없다. 그는 민중이 두려워 독재자가 된 것이다.

대부분의 독재자는 독재를 시대적 요구로 생각하는 민중과의 합작품이다. 민중의 갈채를 받지 않은 독재자는 없다. 따라서 어느 정도의 독재가 지나면 민중이 그를 몰아낸 뒤 독재자에 대한 향수를 느끼는 경우도 있다. 압제에 길든 사람에게 넉넉한 자유를 주면 그들은 유기(遺棄) 불안에 빠지게 된다. 이때 역사의 반동이 일어난다. 박정희(朴正熙) 신드롬이나 네로(Nero) 이후의 로마가 반동의 시대로 돌아간 것이 그와 같은 사례이다.

하버드 졸업식에서 스필버그(Steven Spielberg)의 명예박사 학위 기념 연설(2016)

사랑과 도움과 용기와 직관, 이 모든 것이 영웅의 화살통에 담겨 있어야 합니다. 그러나 진정한 영웅에게는 필요한 것이 한 가지 더 있습니다. 그것은 세상을 쳐부수려는 악의(惡意)입니다. 그리고 여러분은 모두가 행운아입니다. 이 세상은 괴물로 가득 차 있습니다. 종족주의, 동성애 혐오증, 다른 인종에 대한 증오, 계급 사이의 증오, 정치적 증오, 그리고 종교 사이의 증오도 있습니다.

늘 다른 사람과 인연을 맺고 살아가십시오. 늘 곁의 사람과 눈을 맞추고 살아가십시오. 그런 식의 삶이 미디어를 창조하는 사람들로부터 당신이 뭔가 듣고 싶은 교훈을 얻을 수야 없겠지만, 우리는 다른 사람과 눈을 맞추며 사는 시간보다 내 일에 몰두하는 데 더 많은 시간을 쓰고 있습니다. 그러니 지금 바로 시작하십시오.

여러분, 남들의 눈이 무엇을 찾고 있는지 살펴보십시오. 학생 여러분, 동문회 여러분, 그리고 바로 당신과 화우스트(Faust) 총장님,

당신이 모르고 있고, 잘 모르는 사람에게 눈길을 돌리세요. 그들

스필버그

은 당신 뒤에 서 있거나 아니면 몇 줄 앞에 서 있을 것입니다. 그들과 눈을 맞춰 보세요. 바로 그것입니다. 당신이 느끼고 있는 감정은 사회의 불안과 다소는 혼재된 채 우리가 공유하고 있는 인간미일 것입니다. 그리고 나는 여러분이 정의감과 평화로 충만하기를 빕니다.

끝으로 나는 여러분 모두가 신실하고, 할리우드 영화의 행복한 끝 장면과 같은 삶을 살기 바랍니다. 나는 여러분이 T-Rex를 넘어서고, 범죄를 이겨 내고, E.T.처럼 지금으로부터 영원히 여러분의 부모님을 기억하시기 바랍니다.

이제 집으로 돌아가세요. 감사합니다.

Steven Spielberg's Commencement Speech at Harvard University(May 26, 2016.)

Love, support, courage, intuition.

All of these things are in your hero's quiver, but still, a hero needs one more thing : A hero needs a villain to vanquish. And you're all in luck. This world is full of monsters. And there's racism, homophobia, ethnic hatred, class hatred, there's political hatred, and there's religious hatred. And please stay connected. Please never lose eye contact. This may not be a lesson you want to hear from a person who creates media, but we are spending more time looking down at our devices than we are looking in each other's eyes. So, forgive me, but let's start right now.

Everyone here, please find someone's eyes to look into. Students, and alumni and you too, President Faust, all of you, turn to someone you don't know or don't know very well. They may be standing behind you, or a couple of rows ahead. Just let your eyes meet. That's it. That emotion you're feeling is our shared humanity mixed in with a little social discomfort.

And I hope that it's filled with justice and peace. And finally, I wish you all a true, Hollywood-style happy ending. I hope you outrun the T-Rex, catch the criminal and for your parents' sake, maybe every now and then, just like E.T.:

Go home. Thank you.

(https://www.entrepreneur.com)

* 〈공룡 티렉스〉(T-Rex : Back To The Cretaceous) : 1998년에 캐나다의 브렛 레너드가 만든 공상과학 영화.

하버드대학의 도서관 벽에 쓰인 글씨[壁書]

소포클레스

"여러분이 빈둥거리고 있는 오늘은 어제 죽은 사람이 그토록 보고 싶었던 내일이다."

(Today that you have lived in vain is the tomorrow that a person who died yesterday truly wanted to live.)

이 글은 그리스의 극작가 소포클레스(Sophocles)의 대사(臺詞)로서, 하버드대학 도서관 벽에 새겨진 30대 명구(The Thirty Lessons on the Wall of Harvard University Library)

가운데 하나이다.

참고로 하버드대학 도서관의 벽서 30조를 모두 소개하면 다음과
같다.

1) 지금 잠을 자라. 그러면 너는 꿈을 꿀 것이다. 그러나 지금 공부하
라. 그러면 너의 꿈을 이루리라.

(Sleep now, you will be dreaming, Study now, you will be achieving
your dream.)

2) 그대가 빈둥거리는 오늘은 어제 죽은 사람이 하루라도 더 살고
싶었던 내일이다.

(Today that you wasted is the tomorrow that a dying person wished
to live.)

3) 그대가 지금 게으르다고 여긴다면, 지금이야말로 과거 어느 때
보다도 부지런한 것이다.

(When you think you are slow, you are faster than ever.)

4) 오늘 일을 내일로 미루지 마라.

(Don't postpone today's work to tomorrow.)

5) 공부하는 고통은 순간이지만 공부하지 않은 고통은 영원히 지속
된다.

(The pain of study is only for a moment, but the pain of not having
studied is forever.)

6) 공부에는 시간이 부족한 법이 없다. 노력이 부족할 뿐이다.

(In study, it's not the lack of time, but lack of effort.)

7) 행복이 성적순은 아니지만, 성공은 성적순이다.

(Happiness is not proportional to the academic achievement, but success is.)

8) 공부가 인생의 전부는 아니지만, 그대가 인생의 일부인 그것마저 이루지 못한다면, 그대가 장차 일생에 이룰 수 있는 것은 뭐란 말인가? (Study is not everything in life, but if you are unable to conquer study that's only a part of life, what can you be able to achieve in life?)

9) 회피할 수 없는 고통이라면, 그것을 즐겨라. (You might as well enjoy the pain that you can not avoid.)

10) 성공을 맛보려면 좀 더 일찍 일어나고, 좀 더 부지런하라. (To taste success, you shall be earlier and more diligent.)

11) 성공은 누구에게나 오는 것이 아니라, 자제력을 가지고 열심히 일하는 무리에게 온다. (Success doesn't come to any one, but it comes to the self-controlled and the hard-working.)

12) 시간은 결코 멈추지 않는다. (The time never stops.)

하버드의 공부 벌레들

13) 그대가 오늘 침을 흘리면 내일 눈물을 흘리리라.

(Saliva you drooled today will be tears falling tomorrow.)

14) 개처럼 헐떡이며 공부하여 정승처럼 살아라.

(Study like a dog and play like a premier.)

15) 정상을 추구하라. 최대한 노력하라. 처음부터 바라던 정상을 향하여 최대한 노력하라.

(Pursue the top. The maximum endeavor. And to the beginning for the effort of the maximum for a top intend.)

16) 내일에 투자하는 사람은 오늘에 성실한 사람이다.

(A person who invest in tomorrow, is the person who is faithful to today.)

17) 학술 동아리가 돈을 번다.

(The academic clique is money itself.)

18) 오늘은 결코 내일 다시 오지 않는다.

(Today never returns again tomorrow.)

19) 지금, 이 시간에도 그대의 적군은 책장을 넘기고 있다.

(At this moment, your enemies books keep flipping.)

20) 고통 없이 얻는 것은 없다.

(No pains, No gains.)

21) 꿈이 그대 앞에 있는데, 왜 손을 뻗어 잡지 않는가?

(Dream is just in front of you. Why not stretch your arm.)

22) 그대가 현실에 눈을 감으면, 그대의 눈도 미래에 눈을 감는다.

(If you close your eyes to the present, the eyes for the future close as well.)

23) 조느니 자라.

(Sleep instead of dozing.)

24) 학업의 성취는 절대적으로 시간의 투자와 곧바로 비례한다.

(Academic achievement is directly proportional to the absolute amount of time invested.)

25) 가장 위대한 성취는 다른 사람들이 잠든 사이에 이뤄진다.

(Most great achievements happen while others are sleeping.)

26) 시험지 앞에서 그대는 이제 와서야 그동안에 허비한 시간을 한탄했던가?

(Just before the examination, how desperate would you feel the time you are wasting now.)

27) 불가능이란 노력하지 않은 무리의 변명이다.

(Impossibility is the excuse made by the untried.)

28) 노력의 댓가가 돌아오지 않고 사라지는 법은 없다. 그대가 오늘 걷지 않으면 내일엔 뛰어야 하리.

(The payoff of efforts never disappear without redemption. If you don't walk today, you have to run tomorrow.)

29) 그대가 한 시간 더 공부하면 더 좋은 남편을 만나리라.

(One more hour of study, you will have a better husband.)

30) 건강을 잃는 것은 모든 것을 잃는 것이다.

(To lose your health is to lose all of yourself.)*

* 본디 하버드대학 도서관의 벽에는 이런 낙서가 없다. 아마도 하버드대학 출신의 어느 수재가 지어낸 것으로 보이며, 중국에서 먼저 퍼진 것으로 보면 중국 유학생이었을 것이다. 그러나 그 내용이 좋아 여염의 소문대로 제목을 썼다.

"그대는 조국을 사랑하는가?"

"분노도, 슬픔도 없는 사람은 조국을
사랑하지 않는다."
- 체르니세브스키(Nikolai G. Chernyshevskii :
1828-1889)

N. 체르니세브스키

독서와 고뇌

"고민만 하며 책을 안 읽은 사람은 위험하고,
책을 많이 읽었으나 생각이 깊지 않은 사람은 어수선하다."
(思而不學則殆 學而不思則罔 :『논어』「爲政篇」)

추운 서재, 따뜻한 서재

젊어서 천장에서 비가 새는 셋방에서 개다리밥상 놓고 글을 쓸 적
에는, 따뜻하고 밝은 서재에서 글을 쓸 수만 있다면 좀 더 좋은 글을
쓸 수 있으리라고 나는 생각했다. 양지바른 서재에 추사(秋史)의 글
씨라도 하나 걸어놓을 수 있다면 얼마나 운치가 있을까?

그 뒤 대학에 자리 잡으면서, 서재랍시고 하나 마련하여 이제는
떨지 않으면서 대소변을 볼 수 있고, 글을 쓰다가 먼 산을 내다볼 여
유도 생겼다. 추사의 글씨는 아니지만 창암 이삼만(蒼巖 李三晚)의 글

씨도 바라볼 수 있다. 그런데 참으로 알 수 없는 것은, 지금의 글이 셋방살이 시절의 글만큼 진하지 못하다는 사실이다. 그래서 서재는 좀 추워야 하는가 보다.

더구나 나이 들어 살아갈 날이 더 짧고 정년 퇴직이 눈앞에 다가오니 이 책을 누구에게 물려줄까 걱정이 태산 같다. 자식 걱정은 해보지 않았지만, 안 입고 안 먹으며 마련한 책들을 어떻게 해야 할지. 요즘처럼 책을 무게로 팔고 도서관이 도서 기증을 거절하는 세태에 누가 나만큼 이들을 사랑하며 소장할 수 있을지, 잠을 이룰 수가 없다.

번역과 오역

번역은 외국어를 잘한다고 되는 것이 아니다. 나도 평생 번역에 종사했지만, 번역은 국어 실력이지 영어 실력이 아니다. 오역은 원문의 오역도 많지만, 우리말이 틀릴 때도 많다. 원저자가 틀린 것을 알아보지 못했다면 그것도 번역자의 책임이다.

오역의 이야기를 하면서 이런 주제를 다루는 것이 적절할지 모르나, 어느 대통령이 UN 총회에 가서 영어로 연설하기로 결정했다. 그의 영어 실력으로 UN 총회에서 연설하는 것도 적절하지 않았다. 더구나 국가 원수가 국제 회의에서 모국어로 연설하는 것은 전혀 허물이 아니다.

연전에 일본의 총리 나카소네 야스히로(中曾根康弘)가 미국의 전국기자협회(National Press Club)에서 영어로 연설했다. 그는 영어라면 꽤 자신이 있어 하던 정치인이었다. 연설을 듣고 나온 외신 기자들이 이렇게 말했다.

"일본말도 발음이 영어와 비슷하네."

이와 같은 사실을 알고 있는 나는 그 대통령의 측근에게 영어로 연설하지 말도록 간곡히 부탁하라고 말했다. 그랬더니 그 사람의 대답인즉, "그런 말을 할 사람이 없어요." 했다. 결국 그 대통령은 영어로 연설했고, 한국 기자들과 보좌관들은 영어 연설을 영어로 통역하느라고 애를 먹었다.

노작(勞作)의 조건

당신의 책이 아무리 노작(勞作)이라 할지라도 3판이 나오기 이전에는 고칠 곳이 많아 명작이라 장담할 수 없다.

대학 교수는 골프 치기 좋은 직업?

주변에 이런저런 인연으로 친목회에 가야 할 경우가 있다. 그런데 앉으면 골프 얘기요, 어디 아파트 얘기다. 나는 할 말이 없어 우두커니 앉아 있다가, 내가 왜 왔나? 후회하면서 돌아온다. 골프가 좋다는 거야 들어서 알지만, 우리에게는 그럴 여유가 없다.

어느 국무총리가 앉으면 골프 얘기에, 골프 칠 일이 있으면 형사 수배자가 초대를 해도 국경일에 부산까지 내려가고, 총리 공관에 미니 골프연습장을 차려 놓았다가 구설에 올랐다. 어느 신문사에서 그를 "단칼에 보내 주는 칼럼"을 써달라는 청탁이 왔다. 나는 모질게 썼다. 내 글에는 독이 묻어 있다는 것을 내가 잘 알면서도 그렇게 썼다. 마지막 문장은 이렇게 되어 있었다.

"공직자의 몸으로 입만 벌리면 골프 얘기로 지새는 관리치고 인간 구실 하는 사람을 나는 보지 못했다."

그 글이 나간 뒤로 그 총리는 불명예스럽게 물러났다. 내 글 탓만은 아니었겠지만, 나는 그 필화(?)로 그 신문사의 정기 칼럼 필진에서 "잘렸고" 나도, 신문사도 골프 관계 업자와 동호인들로부터 곤욕을 치렀다.

어느 후학이 외국에서 박사학위가 통과된 다음 고생한 얘기며, 이런저런 사설을 늘어놓다가 글 끝에 이렇게 썼다.

"이제 슬슬 골프나 배워 볼까?"

나는 한 줄로 간단히 답장을 썼다.

"그건 아니다."

그리고 그 뒤로 그와의 인연을 끊었다.

03

내가 만난 사람들 이야기

광릉에서의 약속

우리가 대학원에 다닐 적만 해도 낭만은 조금 남아 있어 가을철이면 야유회라는 것을 갔다. 어느 해 가을, 우리는 광릉 숲속으로 야유회를 갔다. 나는 본디 술을 먹지 못하는데 그날은 분위기에 휩쓸려 마실 줄 모르는 술을 마시고 좀 해롱거리며 산에서 내려왔다. 한참을 내려오니 무슨 가옥이 있고, 대문이 있었다. 나는 호기롭게 대문을 박차고 들어갔다.

그런데 뭐가 확 튀어나오더니 내 품에 안기며 소리쳤다.

"아빠!"

내가 눈을 부릅뜨고 바라보니 한 예닐곱 살 된 아이가 나를 자기 아빠인 줄로 알고 안긴 것이다. 정신이 번쩍 들어 살펴보니 그곳은 민가가 아니고 광릉고아원이었다. 나는 울 것 같았다. 그리고 미칠 것 같았다.

얼마나 아빠를 기다렸으면, 얼마나 아빠가 그리웠으면 낯 모르는 내 품에 안기며 아빠를 불렀을까? 이 사건이 내 인생에서 가장 충격

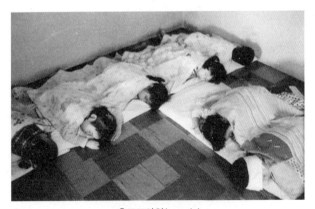

홀트고아원(google)

120

적이었다. 그리고 내 인생을 갈라놓았다. 나는 그 아이를 떨치고 광릉 숲을 내려오며 울며 맹세했다. 그래, 내가 성인이 되면 꼭 성공해서 돌아와 너의 아빠가 되어 주겠노라고…….

세월이 흘러 나도 결혼하여 아이들을 두자 우리나라 조류학계의 전설이 된 김수일(金守一) 군과 탐조 여행을 자주 갔다. 그는 당시 학부생이었으며, 뒷날 국제두루미학회의 장학금을 받아 위스콘신대학에서 야생조류 연구로 박사학위를 받고 한국교원대학 교수로 재직하다가 미국에 두고 온 가족을 그리워하는 기러기 아빠가 되어 술을 마시고 고독하게 세상을 떠났다. 우리나라에서 멸종된 두루미를 복원한 이가 그 교수이다.

김수일 군과 광릉에 간 김에 광릉보육원을 찾아갔다. 아, 그런데 건물은 있으나 빈집이었다. 나는 대문 앞에 주저앉았다. 다시 찾아와 너의 아빠 노릇을 해주겠다던 약속을 지키지 못한 가책이 내 평생의 빚이 되어 가슴을 짓누른다. 그들도 지금쯤 다 초로가 되었을 텐데 어디서 무엇을 하며 살까? 지금도 나는 고열이 오르면 그 아이들을 부르며 헛소리를 한다고 언젠가 아내가 말했다.

고 김수일 교수

안창일 박사에 대한 추억

안창일 박사

1960년대 초엽, 신당동 304번지 빈민가 일대에 '안창일 소아과'라는 병원이 있었다. 큰길을 건너면 부촌으로 박정희(朴正熙) 최고회의 의장과 김종오(金鍾五) 육군대장이 살았고, 한 블록 더 가면 김종필(金鍾泌) 중앙정보부장이 살았다. 안창일 박사는 가톨릭의과대학 박사 1호였는데, 내 평생 가슴에 박혀 있다.

병원이 없던 시절이어서 나는 성인인데도 병이 나면 그 병원에 다녔다. 그런데 그분은 참 이상했다. 아이들이 오면 열을 재고 진찰을 한 다음 병이 아니니 집에 가서 몸을 시원하게 하고 보리차를 자주 마시게 하라고 말했다. 엄마가 안타까워 물었다.

"약은 안 주시나요?"

"병이 아니니 약을 먹일 필요가 없습니다."

"치료비는 얼마인가요?"

"치료한 일이 없으니 그냥 가세요."

가난한 엄마는 연신 굽실거리며 병원을 나갔다. 아마 그 엄마는 집에 도착할 때까지, 아니 그 뒤에도 감사한 마음으로 안창일 박사가 복 받게 해달라고 기도했을 것이다.

세월이 흘러 언제인가 신문의 인사 동정란을 보니 그분이 청량리 어드메 동산병원의 원장으로 부임한다는 기사가 났다. 인터넷을 뒤져보니 2017년 8월 7일자 『한국경제신문』에 경희대학교병원장을 지난 안창일 한국소아과 학회장의 부고(訃告)가 실려 있었다. 상주는 안○○ 박사로서 서울의 어느 종합병원 부원장이라고 기록되어 있었다. 그 아들도 아버지처럼 훌륭한 분이었으면 좋겠다. 그리고 나처럼 그를 추모하는 몇 편의 글이 떴다. 틀림없이 천국에 가셨을 것이다. 세상에는 그런 의사가 있던 시절도 있었다.

기왕에 의사 얘기가 나왔으니 한마디 더 하자면, 나는 치아가 좋지 않아 젊을 때부터 고생을 많이 했다. 나만 영어 만점 맞으며 답안지 보여주지 않았다고 고등학교 시절에 매를 맞아 부러진 어금니가 평생 속을 썩였다.

어느 날, 나는 늘 다니던 대학병원의 치과를 찾아갔다. 자주 보던 사이이니 알 만한 사람이었다. 그런데 그 젊은 의사 녀석은 애비 나이인 내가 먼저 인사를 해도 들은 시늉을 안 했다. 그가 다른 손님을 치료하러 간 사이에 간호사에게 저 젊은이는 나잇살이나 먹은 내가 먼저 인사를 하는데 들은 척도 않느냐고 투덜거렸다. 그런데 그 간호사가 쪼르르 가더니 그 의사에게 내 말을 했다.

그 간호사가 돌아와 난처한 듯이 나에게 하는 말이, 내 병은 더 큰 병원으로 가 보란다고 의사가 말했다는 것이다. 나는 치료를 받다 말고 그 치과에서 쫓겨났다. 지금도 그 앞을 지나가려면 그 녀석 생각이 난다. 그렇다고 해서 내가 그를 저주하지는 않았지만, 그는 지금쯤 잘살고 있을까?

또 다른 어느 치과병원엘 갔다. 그런데 그는 계속 투덜거렸다. 내 입이 좁아 치과 치료에는 가장 어려운 얼굴이란다. 그가 툭 뱉듯이 한마디 했다.

"가지각색으로 속 썩이네."

그 말이 비수처럼 내 가슴에 박혀 있다. 치과대학에서는 최소한의 인문학도 가르치지 않나 보다.

인생길에 조금 짐을 지고 가자

내가 군대 생활을 할 때 내 옆의 친구는 뚝섬경마장 기수 출신이었다. 많이 배우지도 못했고, 어렵게 젊은 날을 보냈다. 나는 그에게서 인생에 관해 많은 것을 배웠다.

경주마의 무게는 500~550kg이라 한다. 그런데 그 말은 등에 아무것도 싣지 않았을 때보다. 자기 무게의 1/10을 실었을 때 더 빨리, 그리고 더 안정되게 달린다고 한다. 그래서 기수에게는 체중 관리가 사활의 문제라고 한다. 체중이 50kg을 넘으면 굶거나 설사약을 먹어야 한다. 이것이 바로 서부의 목동들이 야생마를 잡을 수 있는 원리이다.

야생마

아프리카의 토인들은 냇물을 건널 때 적당한 무게의 돌을 가슴에 안고 간다. 우리도 등산할 때면 간단한 배낭을 등에 메야 안정감을 느낀다. 인생은 그런 것이다. 그러므로 인생에서는 "짐이 짐이 아니다." 오히려 짐이 축복일 수 있다.

그 경마장 기수는 나보다 먼저 제대했는데, 헤어질 때 내 손을 잡고 이런 말을 했다.

"내가 보고 싶더라도 경마장으로 나를 찾아오지 마라."

망각이라는 축복

50년 전 귀싸대기를 때리며 괴롭히던 군대 내무반장의 군번을 나는 아직도 기억한다. 그런 증오는 대체로 복수심으로 바뀐다. 그런데 그 복수심은 자기에게도 독이 되니 좋을 것이 없다.

율리우스 카이사르(Julius Caesar)는 이런 말을 남겼다.

카이사르

"배가 강변에 이르면 배를 버려야 한다."(Postquam nave transiit flumen, navis relinquenda est in flumine, Julius Caesar, 『이탈리아 내전사』(De Bello Civili, III)

나는 그렇지 못했다.

황희(黃喜) 정승의 이야기

황희 정승

나는 젊어 한때 『씨올의 소리』 필진으로 일하면서 함석헌(咸錫憲, 1901~1989) 선생을 곁에서 잠시 뵌 적이 있다. 그분이 언제인가 다음과 같은 일화를 들려주셨다.

황희 정승이 어느 날 뜰을 거니는데 종 녀석이 바닥을 데굴데굴 구르며 죽는 시늉을 했다. 곁의 녀석에게 저 애가 왜 그러느냐고 대감이 물었더니, 저 애는 저렇게 가끔 토사곽란을 일으켜 고생한다고 대답했다.

"그렇다면 나에게 좋은 약이 있지."

그러면서 대감은 자신이 평소에 먹던 환약을 한 알 주었다. 그것을 받은 종 녀석은 황송해서 먹을 수가 없었다.

"이것이 값으로 치면 얼마인데……."

그래서 그 녀석은 그것을 먹지 않고 팔아 그 돈으로 병도 고치고 친구들과 술도 몇 잔 사 마셨다.

대감께서 그 일을 잊으셨으려니 생각될 무렵, 다른 녀석이 대감 앞에서 죽는 시늉을 하고 다시 약을 받아 나가서 팔아 즐기며 놀았다.

그런 일이 잊을 만하면 벌어지자 대감의 아들이 아버지에게 아뢰었다.

"아무래도 저 녀석들이 아버님을 속이고 수작을 부리는 것 같습니다."

그랬더니 황희 대감께서 아들에게 이렇게 말했다.

"어차피 그 약은 아픈 사람의 입에 들어갔을 텐데, 그러면 됐지 않니?"

황희 정승은 인간적인 허물이 많은 분이었다. 그러나 세종(世宗)은 그가 정사(政事)에 탁월한 능력을 타고난 것을 알았기에 허물을 덮어주고 타일러 씀으로써 수성(守成)의 정치를 할 수 있었다. 이럴 경우 정승보다 위대한 사람은 그를 알아본 주군이다. 나는 영웅주의자는 아니지만, 명군(明君)을 만나는 것은 그 시대의 나라와 백성에게 큰 축복이다.

신화가 된 충무공

충무공(忠武公) 이순신(李舜臣) 장군은 알려진 바와는 달리 병약했고, 얼굴은 여자처럼 단아했다.(『징비록』) 아마도 그는 결핵 환자였을 것이다. 『난중일기』에 기록된 병 증세를 적어 1960년대 종로의 명의였던 설규동(薛奎東) 박사에게 이름을 숨긴 채 보이고 얻은 결론이다.

충무공 이순신

충무공은 아마도 자기가 천수를 누리지 못할 것을 알았을 것이다. 그렇지 않고서는 전란이 이미 끝난

상황에서 갑옷도 입지 않고 도망병을 추격하다가 죽을 이유가 없다. 그래서 그는 장렬한 죽음의 길을 선택한 것이다.

충무공이 난세가 아니고 태평성세에 태어났더라면……. 생각만 해도 아찔하다. 아마 국가와 그분을 위해서도 불행했을 터이니까. 그렇다고 해서 한국의 역사가 영웅 서사(heroism)로 흐르는 것은 바람직하지 않다.

"그릇에 넘치게 물을 담을 수 없다"

내가 존경하는 기독교대한복음교회 지동 식(池東植, 1910~1977) 목사님(전 연세대학교 신학대학장)께서 임종이 가까워졌다는 말을 듣고 화전(花田)의 댁으로 찾아뵈었다. 그분은 예수 잘 믿으라는 말씀은 안 하시고 나에게 이런 말씀을 하셨다.

지동식 목사님

"인간은 그릇에 넘치게 물을 담을 수 없어요. 신 집사는 젊은 날에 그릇을 키우도록 노력해야 한다우." 그 말씀이 나에게는 유언이 되었다. 그분이 보시기에 내가 얼마나 옹색한 사람으로 보였으면 그런 말씀을 유언으로 하셨을까를 평생 화두로 삼고 나는 살아간다. 세상에는 그릇에 넘치게 물을 담으려다 신세를 망친 사람이 많다. 나도 그렇지만, 『삼국지』에 등장하는 주유(周瑜)가 그런 인물이었다.

진중의 밤(陣中夜吟)

이순신(李舜臣)

해변에 가을빛이 저무는데

水國秋光暮(수국추광모)

추위에 놀란 기러기만 진중에 높이 나누나!

驚寒雁陣高(경한안진고)

나라 걱정에 몸을 뒤척거리는데

憂心輾轉夜(우심전전야)

새벽달이 활과 칼을 비추네

殘月照弓刀(잔월조궁도)

신부(神父)의 덕목은 무엇일까?

열자(列子)

내 영혼에 가장 큰 양식을 준 분 가운데 하나는 천주교의정부교구의 최건봉(崔建峯) 바오로 신부님이다. 그분이 언제인가 이런 설교를 하셨다.

최건봉 신부님이 신학교를 마치고 신부가 되어 인사를 드리러 은사 신부님을 찾아갔다. 신부님들에게는 자식이 없기에 사제(師弟)가 부자와 같다.

은사 신부님이 축하하면서 물으셨다.

"그래, 이제 신부가 되었으니, 물어보자. 너는 신부의 첫 번째 덕목이 뭐라고 생각하느냐?"

최 신부님은 별생각 없이 신부의 덕목이야 사랑이겠거니 여기며 당당하게 대답했다.

"신부의 첫 번째 덕목은 사랑입니다."

그랬더니 은사 신부님께서 낙담하면서 말씀하셨다.

"너는 신학교 생활을 잘못 했구나. 신부의 첫 번째 덕목은 건강이다."

그 말을 들은 최 신부님도 놀라셨겠지만 나는 더 놀랐다. 나는 평생 병을 몸에 달고 살았다. 중년이 넘어서는 약을 먹지 않은 날이 없었고, 칠순이 넘어서는 하루 먹는 약이 영양제를 포함하여 일곱 가지가 넘었다. 그런데 영혼을 이끈다는 신부의 첫 번째 덕목이 건강이라니……

나는 가슴이 먹먹했다. 어릴 적 어느 선생님께서 말씀하시기를 자식으로서 부모님께 가장 큰 효도는 "몸 성한 것"이라고 하시던 것이 생각난다. 신부의 첫 번째 덕목이 건강이라면 온갖 세파에 보대끼며 살아야 하는 우리네 속인들에게야 더 말할 나위가 있겠는가? 그러니 나는 인생을 헛살았다. 그리고 불효자였다.

"골골 백 년"이라지만, 열자(列子)의 말처럼, "아프고 근심스러운 날을 빼고 나면 일생이 며칠이랴?"

마해송(馬海松) 선생과 장성환(張聖煥) 목사

믿음으로 말한다면 참으로 부끄러운 사람이지만, 나는 천주교에서 종부성사(終傅聖事)를 받고 세상을 떠나신 아버지에게 자식의 도리를 못한 죄책감 때문에 성당에 다녔다. 믿음보다는 아버지에 대한 참회의 정 때문이었다.

대학 2학년 크리스마스 이브에 청승맞게 도서관에서 공부하고 있는데, 친구 녀석이 헐레벌떡 찾아와 같이 어디를 좀 가자고 한다. 너무 서둘러 영문도 모르고 끌려 나와 왜 그러냐고 물었더니, 지금 크리스마스 이브 미팅을 하는데 남자 측에서 한 녀석이 펑크를 내어 자리가 비었으니 나더러 대신 나가라는 것이었다. 그래서 그가 시키는 대로 낙원동 문화방송 앞에 갔더니 약속대로 흰 손수건을 든 여학생이 있었다.

이러니저러니 수작을 부리다가 그도 내가 싫지 않았던지 미팅 장소에 따라왔다. 참하고 영리해 보였다. 첫 데이트에 헤어지면서 그 여학생에게 "4년만 기다리면 내가 당신을 아내로 맞을 테니 졸업할 때까지 기다리라."고 했더니 어이가 없던지 멍하니 쳐다보다가 돌아갔다.

그 뒤로 9년을 티격태격하며 지내다가 막상 결혼하려니 종교가 문제였다. 그는 어머니가 평안도 초대 교회 집 딸이었고, 나는 천주교 신자였기 때문이었다. 나는 각시가 탐이 나 그 여인을 따라 개신교회를 다니다가 겨우 결혼했다. 그 여인이 지금의 내 아내이니 신파도 이런 신파가 없다.

교회는 종로 6가에 있는 기독교대한복음교회였다. 일제 시대에 기독교계 민족주의자였던 최태용(崔泰瑢) 목사가 설립한 교회이다. 내가 결혼 때문에 개신교에 입교했을 무렵에는 장성환(張聖煥, 1929~2014) 목사님이 목회를 하고 있었다.

한국전쟁 당시에 형님과 둘이 남하한 장 목사님은 각고 끝에 연세대학교 신학대학에 합격했다. 그러나 그에게는 땡전 한 푼 없었다. 누가 장학금을 대줄 형편도 아니었다. 수복 직후의 서울에서 고학생의 생활이 오죽했을까? 그러나 장 목사님은 단념하거나 절망하지 않고, 종로 화신백화점 앞에 나가 네거리에서 번듯한 신사를 만나면 이러저러한 사정이 있으니 학비 좀 대달라고 부탁했다. 아마 대부분의 사람이 정신병자 쳐다보듯 했을 것이다.

그러던 어느 날, 목사님은 그날도 실망하지 않고 화신백화점 앞에 나아가 아무나 잡고 학비를 부탁했다. 그런데 화사하지 않으나 곱게 생긴 신사가 지나가기에 그에게 학비를 부탁했더니 사람을 아래위로 훑어보고서는 다방으로 데리고 들어갔다. 자초지종을 들은 노신사는 자기에게는 그만한 돈이 없으니 을지로 3가 반도극장(지금의 피카디

장성환 목사

마해송 선생

리극장) 사장을 찾아가 부탁해보라고 하면서 메모를 하나 써 주었다.

장성환 학생이 그의 말대로 반도극장 사장을 만나 쪽지를 보여드
렸더니 그는 두말없이 학비를 넉넉히 주었다. 장 목사는 그제야 자
기를 소개해 준 그분이 누구시냐고 물었더니 극장 사장이 어이가 없
다는 듯이 쳐다보더니, 마해송(馬海松) 선생이라고 대답하더라는 것
이었다.

나는 마해송 선생과는 아무 인연이 없다. 그 아들이 마종기 시인
이던가? 그 분과는 스치는 인연으로 몇 번 만났다. 나는 이 미담을
후대에 알려야 한다고 늘 생각했다. 물론 그 시대에 반도극장 사장
이라면 단성사도 함께 운영하던 분이니 장안의 갑부였을 터이고, 장
목사에게 베푼 돈이 어쩌면 푼돈이었을지도 모른다. 그런데 내가 세
상 겪어 보니 돈 많은 사람이 너그러운 것은 아니었다.

많이 베푸는 데도 재산이 느는 무리가 있고, 당연한 것마저 아끼
는데도 궁핍해지는 이가 있다.(「잠언」 11 : 24) 장성환 목사는 그 뒤
기독교대한복음교회를 일으키고, 중견 목사가 된 다음에는 하이델
베르크대학 한국 분교를 세운다는 꿈을 안고 독일 광부와 간호사를

대상으로 하는 KNCC의 독일 파견 목사로 자청하여 떠났다.

장성환 목사는 복음교회에서 첫 노벨상 수상자가 나와야 하며 당신들은 할 수 있다고 대학부 학생들을 격려했다. 어쩌면 그는 예수보다 조국을 더 사랑한 사람이었는지 모른다. 그는 청년들에게 늘 야망과 면학을 강조했다.

막사이사이상 수상자 제정구 씨, 연세대학교 부총장 김중기 목사님, KBS 이사장 김상근 목사님, 두레교회 김진홍 목사님, KNCC 회장 오충일 목사님, 숭의여자대학교 성주형 교수, 대외경제정책연구원 부원장 홍유수 박사, 국회의원 이미경 씨, 내일신문 사장·국회의원 최영희 씨, 한림대학 사학과 박근갑 교수, 한신대학교 총장 채수일 목사님, 성균관대학교 대학원장 장영광 교수, 영남대학교 국문과 서종문 교수, KAIST 유장열 교수, 외환은행장 이강원 씨, 서울외국인노동자교육원장 최의팔 목사님, KBS 방송국 라디오국장 한신평 씨, 전교조위원장 김영국 선생, 지금쯤 어디에선가 조국을 위해 큰일을 하고 있을 선용신 군을 비롯하여 내가 반사(班師)를 맡았던 시절의 이름을 잊은 고등부 학생들, 그리고 말석에서 내가 기독교대한복음교회 대학부에서 장성환 목사님의 향훈(香薰)을 받았다.

언제인가 늦게 목사님 사택으로 찾아뵈었더니, 어느 젊은이가 찾아와 자기는 반독재 투쟁을 하다가 국가보안법에 걸려 수배를 받고 있는데 내일 감옥에 들어간다면서 작별 인사를 하고 있었다. 그가 떠난 다음에 누구냐고 물어보니 인명진(印名鎭) 전도사라고 했다.

그러나 일이 늘 잘 풀리지는 않았다. 마침 그때가 국내에서는 유신 시대였다. 장성환 목사는 독일에 거류하는 광부, 간호사, 학생들을 모아 반정부 투쟁을 하다가 반국가사범으로 몰려 박정희(朴正熙)

대통령 시대에는 입국도 못했다. 1979년에 박정희 대통령이 죽었을 때는 장 목사도 생활 기반이 없는 한국에 들어오지 못하고 캐나다로 이주하여 전교하며 만년을 보내다가 타계했다.

장성환 목사님이 떠난 뒤 나도 그 교회를 떠났으니 안부를 알 수 없으나, 마석에 사둔 하이델베르크대학 부지는 어찌 되었는지, 예전 같으면 릴 테이프에 담긴 그의 주례사를 가끔 들었지만, 이제는 그 녹음기도 사라져 듣지도 못하고, 오며 가는 길에 그분을 회상하며 피카디리극장을 쳐다본다. 언제인가 피카디리극장에 들러 사무장에게 1950년대에 이 극장을 운영한 분의 기록이 있느냐고 물었더니 전혀 아는 바가 없다고 했다. 그 사장님은 누구이며, 후손들은 어찌 살고 있나? 복 받고 살겠지?

베푼 은혜를 잊어야 하는데

1970년대 초엽에 나는 대학원 박사과정에 다니면서 건국대학교 출판부에서 교정 아르바이트를 하고 있었다. 나의 방은 학교 재무과와 마주 보고 있었다. 어느 날 퇴근을 하는데 재무과 앞에서 한 중학생이 울고 있었다. 왜 그러냐고 물었더니 오늘이 형의 등록금을 내야 하는 마지막 날인데 돈이 부족하다는 것이었다.

몇천 원 되는 돈이었다. 그때 내 월급이 1만 원이었다. 형은 먼 지방 공무원이어서 자기가 대신 왔다고 했다. 대학원 고학생이 돈이 넉넉한 것은 아니었지만, 나는 더 묻지 않고 그 돈을 빌려주었다. 며칠이 지나 물론 그 돈을 돌려받았다.

몇 년이 지나 그 학생 일을 잊고 있을 무렵, 입성과 모습이 수려한 한 청년이 찾아왔다. 누구냐고 물었더니 몇 년 전에 내가 빌려준 돈으로 등록했던 그 사람이라고 했다. 잊지 않고 찾아온 것이 반가웠다. 웬일로 왔느냐고 물었더니 자기가 이번에 고등고시에 합격하여 부임하러 가는 길에 고맙다는 인사를 하러 왔다는 것이었다. 정말 기뻤다. 그리고 내가 한 일이 대단한 것은 아니었지만 보람을 느꼈다.

그 뒤로 아마 30년은 흘렀는가 보다. 어느 공식 모임에서 그를 다시 만났다. 열심히 일한 덕분에 본청에서 서열 3위까지 올라가 고위 공무원이 되어 있었다. 그런데 그의 모습은 예전의 그가 아니었다. 그때 참 고마웠다고 한마디쯤 할 줄 알았다. 그러나 그는 본청의 고위공무원에게 어디 허름한 민원인이 소득세 내러 찾아온 사람을 상대하듯이 나를 바라보았다. 말도 반말 비스름하고, 태도도 오만이 몸에 배었다. 내 어깨를 툭툭 치면서, "잘 계시지요?" 하고 물었다

나는 돌아서서 나를 많이 책망하며 후회했다. 별것도 아닌 30년 전의 나의 베풂을 잊었어야 하는 건데, 그것을 그때까지 기억하는 내 잘못에 나는 상처를 입고 있었다. 당신에게 신세 진 사람들은 당신이 기억하는 것처럼 그렇게 오래 그리고 진심으로 당신을 기억하지 않는다. 그러므로 베푼 것을 잊는 것도 세상 살아가는 지혜의 한 방법이다.

자장(子張)이 인(仁)에 대하여 공자에게 여쭙자 공자께서 이렇게 말씀하셨다.

"천하에 다음의 다섯 가지를 능히 실행한다면 인(仁)을 실행한다고 할 수 있으리라."

"청컨대 무엇인지 여쭙습니다."

공자는 이렇게 설명하였다.

"공손 · 관용 · 신의 · 민첩 · 은혜이니라."(『논어』「陽貨」편)

그 젊은이도, 나도 공자의 가르침에 미치지 못했다.

써서는 안 될 사람/써야 할 사람

오랜만에 성공한 제자를 만났다. 어엿한 중진 간부가 된 그는 나의 지난날을 회상하며, 무슨 과목에서 무슨 지식을 얻은 이야기는 한마디도 하지 않았다. 그는 자기가 오늘 이 자리에 오기까지 가슴속에 담고 있는 나의 가르침은, "나중에 간부가 되어 조직의 책임자를 쓸 때 사람을 잘 써야 한다."는 말이었다고 한다. 여기까지야 흔히 하는 말이니 그렇다 하더라도, 그다음 얘기를 꺼냈다. 내가 강의하는 가운데 이렇게 말했다고 한다.

"사람을 쓸 때 쓸 만한 사람을 쓰지 않는 경우란 있을 수 있다. 그러나 쓰지 않아야 할 사람을 쓴 후환은 몹시 크다. 그것은 쓸 만한 사람을 하나 놓친 손실과 그 사람이 저지르는 실수로 말미암아, 잃은 사람과 기회 손실, 그리고 조직의 책임자 셋이 함께 몰락하는 일이니 이를 특히 명심해야 한다."

강단에서 지나가는 말로 한마디 한 것이 한 후학의 가슴에 이렇게 긴 여운을 남겼다니 마음 한편으로 뿌듯하기는 하지만, 교수가 얼마나 언행에 신중해야 하나, 하는 문제를 새삼 생각하게 된다. 이것이 어디 한 기업의 이야기이겠는가?

나라도 마찬가지일 것이다. 역사에서 몰락한 군주는 모두가 쓸 사람을 안 써서가 아니라, 꼭 쓰지 말았어야 할 사람을 썼기 때문이었다. 어느 사회에나 십상시(十常侍)는 있었다. 그래서 십상시보다 혼군(昏君)의 죄가 더 크다. 어리석은 임금은 표독한 독재자보다 더 국민을 고생시킨다.

인연

한국인은 헤어지는 인연을 너무 우습게 생각한다. 인생을 살면서 헤어질 때, 다시 안 볼 듯이 처신하는 사람처럼 부도덕하고 어리석은 사람이 없다. 우리는 무엇이 되어 언제 어디서 다시 만날지 모른다. 헤어지는 인연을 막 보는 사람보다 미욱한 사람이 없다.

타산적인 지식인

나는 대학원을 마치고 늦게 군대에 갔다. 신병 배치를 받았을 때 소대장이 나의 신상기록부를 바라보며 말했다.
"너는 탈영하지는 않겠구나."
제대 말년에 그에게 그 까닭을 물어보았더니 그가 이렇게 대답했다.
"알파벳을 아는 놈은 철조망을 넘지 않아."

수수꽃다리

우리나라에 수수꽃다리라는
봄철 꽃이 있다. 본디 함경남도
에서 황해도에 걸쳐 피는 봄꽃
으로 향기가 좋아 지금은 전국
적으로 퍼져 있다.

미 군정기인 1947년, 의정
부 호원동의 캠프 잭슨(Camp
Jackson)에 근무하던 군정청
소속의 미더(Elwin M. Meader
1910~1996)라는 인물이 있었
다. 뉴햄프셔주 로체스터 출신

수수꽃다리 (*Miss Kim Lilac*)

인 그는 럿거스대학(Rutgers University, Virginia)에서 식물학을 공부
한 다음 버몬트대학(Vermont University, 1945~1946)에서 원예학 교
수로 재직하다가 한국의 식물상을 연구하고자 자청하여 한국의 미
군정청에 취업했다.

미더가 어느 날 도봉산에 갔다가 수수꽃다리를 채취하여 돌아와
학명이며, 생태를 찾아보았으나 그것은 국제식물도감에 등재되지
않은 미발견 종자였다. 그는 미국으로 돌아가 뉴햄프셔대학 교수로
부임하여 그 종자를 국제식물도감에 등재하면서, 자기의 한국인 타
이피스트였던 미스 킴의 이름을 따 학명을 "*Syringa patula Miss
Kim Lilac*"으로 등재하였다. 그래서 그 꽃의 종자권이 미국으로 넘
어갔는데, 그 꽃이 바로 1970년대에 역수입되어 지금 우리의 정원

에 피어 있는 라일락이다.

퀘이커교도였던 그는 미국에서 일체의 종자권이나 특허를 받지 않고 식물분류학의 발전에 헌신했다. 미더가 한국의 수수꽃다리를 국제식물도감에 등재한 것은 고마운 일이지만, 그것의 종자권(royalty)이 미국으로 돌아갔다는 것은 아무리 생각해도 씁쓸하다.

그 이전이 일제 시대이다 보니 대부분의 한국 종자가 *japonia/japonica*로 등재된 것은 그럴 수밖에 없었다 하더라도, 라일락을 서양의 꽃으로 아는 우리의 세태가 서글프다. 지금 우리가 딸기 하나를 먹으면서도 그에 대한 종자권을 지불하고 있는 것처럼.

부부 그리고 사랑

바라서 될 수 있는 일이라면 내세에서도 지금의 배필과 다시 만나 살아라. 그동안 길들이며 사느라고 애쓴 시간이 아깝기 때문이다.

나는 40세가 넘어서야 아내의 얼굴이 보였고, 50세가 넘어서야 아내가 소중한 줄을 알았고, 정년 퇴직을 한 연후에야 아내가 나를 소중하게 여기고 있다는 것을 알았으며, 80세가 되었을 때 모든 것을 용서하고 품었다.

아내도 마찬가지이다. 부부가 무엇인지를 깨닫기까지 60년이 걸린 셈이다. 팔짱 끼고 공원을 산책하는 노부부의 모습이 어제 오늘 생긴 취미가 아니다. 거기까지 오는 데 적어도 40년은 걸렸을 것이다.

여자는 자기를 사랑해 주는 남자와 결혼하고 남자는 자기가 사랑하는 여자와 결혼할 때 행복하다. 여자는 자기가 남편을 사랑할 때 행복한 것이 아니라 남편이 자기를 사랑한다는 것을 체감할 때 행복하다. 여자는 자기가 사랑하지 않는 남자와는 살 수 있어도 자기를 사랑하지 않는 남자와는 행복하게 살 수 없다.

부모와 자식, 그리고 친구

부모를 잃은 자식은 당신이 생각하는 만큼 그리 오래도록 애통해하지 않는다. 당신이 사업에 실패했을 때 당신의 친구는 당신만큼 그리 힘들어하지 않는다.

실패는 3/4의 성공이다.(One failure is worth seven and a half successes.) - 카마로프(Eli Khamarov : 1948~?)

죽을 때와 헤어질 때

서구의 남편들은 죽을 때 아내에게 '사랑한다'고 말한다. 그런데 한국의 남자들은 죽을 때 아내에게 평생 처음으로 '미안하다'고 말한다. 무슨 죄를 그리 많이 지었기에…… 얼마나 무심했기에…… 전에 다니던 성당에는 아침 미사의 셔틀버스에 타는 구역도 다르고 앉는 장소도 다른 부부가 있었다. 집에 갈 때도 그랬다. 왜 그렇게 살아야 하나? 그 자녀들은 얼마나 상처를 입었을까?

육군형무소 소장인 내 친구가 이런 말을 했다.

육군형무소에서 사형 집행이 있었다. 군법무관이 마지막 유언을 묻자 사형수가 이렇게 대답했다.

"아, 저 맑은 하늘을 다시 볼 수 없단 말인가?"

그런데 그날은 억수같이 비가 오는 날이었다.

그리움 또는 회한(悔恨)

내가 살아오면서 겪은 바에 따르면,

어머니가 그리운 사람은 지금의 삶이 너무 힘들기 때문이다. 그는 어머니의 양수(羊水) 속에 살 때가 더 행복했다고 생각하고 있다.

아버지가 그리운 사람은 아버지에 대해 불쌍하고 죄스러운 기억이 있기 때문이다. 감사하는 마음은 그 다음이다.

고향이 그리운 사람은 어린 시절이 그립고 늙어감을 한탄하는 것이다.

구름이 흘러가는 것을 무심히 바라보는 사람은 세월의 무상함을 느끼는 것이다.

강물이 흘러가는 것을 물끄러미 쳐다보는 사람은 청춘을 회상하는 것이다. 그래서 강변 아파트의 삶이 늘 낭만적인 것은 아니다.

아내가 보고 싶은 사람은 지난날이 미안하며, 지금의 삶이 불편하기 때문이다.

남편이 그리운 사람은 말의 허기를 느끼기 때문이다. 시인 신달자의 글에 따르면, 눈이 오는 날, "여보, 눈이 와요."라고 말하려고 바라보니 남편이 이 세상 사람이 아니라는 것이 그렇게 아리게 느껴지더란다.

잠들고 싶은 사람은 지금의 삶을 잊고 싶기 때문이다.

무언가 먹고 싶은 사람은 아직 욕심이 채워지지 않았기 때문이다.

무언가 먹고 싶지 않은 사람은 삶이 싫어진 탓이다.

친구가 그리운 사람은 늙어가면서 잃은 것이 많기 때문이다.

숲속에서 행복을 느끼는 사람은 삶에 지친 사람이다.

바다가 그리운 사람은 할 말을 다 못하고 가슴에 묻고 사는 사람이다.

산에 올라가 소리치는 사람은 울분과 원통함이 많은 사람이다.

산을 오르고 싶은 사람은 무언가를 이루고 싶은 사람이다.

석양이 아름다운 사람은 흘러간 세월이 지금보다 아름다웠던 사람이다.

여명이 아름다운 사람은 행복한 희망에 부푼 사람이다.

여행을 떠나고 싶은 사람은 지금의 삶이 권태로운 사람이다.

공연히 눈물이 흐르는 사람은 지나온 삶이 공허하기 때문이다.

사찰이나 성당에 가고 싶은 사람은 문득 죄의식이 떠오르기 때문이다.

폭음하거나 주사(酒邪)가 심한 사람은 어머니에 대한 상처 때문이다.

첫 직장

부모님 보기가 미안해서, 또는 남자친구나 여자친구 보기가 민망하고 초조하여 첫 직장을 아무 곳이나 덜컥 들어가서는 안 된다. 첫 직장은 아내나 남편을 만나는 것보다 더 운명적이다. 일단 들어간 다음에 다시 변신해보자는 생각은 허망한 꿈이다. 인생 행로의 전환이 그리 쉽지 않다. 그냥 그 길로 가는 것이 인생이다.

내가 입대했을 때 인사장교가 가고 싶은 병과가 무엇이냐고 묻기에 대공 비밀분석실에 가고 싶다고 했다. 내가 사단 IQ 검사에서 1등을 했기 때문에 인사담당관도 그리 보내 주마고 대답했다. 그러나 일이 내 뜻대로 되지는 않았다. 외아들은 그런 곳에 보내지 않는다는 것이었다. 공군 행정장교에 응시하려 했으나 그 역시 외아들은 받지 않는다는 통보를 받았다. 그래서 할 수 없이 육군 보병 이등병으로 입대했다.

나는 대학원을 마치고 박사학위를 받았을 때 중앙정보부 분석실에서 스카우트 제의를 받았다. 그때의 중앙정보부는 나는 새도 떨어트리던 시절이었다. 나는 가지 않았다. 그것이 잘한 일인지 아닌지는 지금 이러니저러니 말할 계제가 아니다. 다만 그렇게 되었더라면 내 인생은 많이 바뀌었을 것이다.

나는 젊은 날에 두 번 취직 원서를 낸 적이 있다. 첫 번째는 연합통신에 원서를 내고 필답 고사에 합격했으나 면접에서 영어 회화 실력 부족으로 떨어졌다. 1960년대에 우리가 원어민에게 회화를 배우기란 그리 쉽지 않았다.

두 번째는 동아일보에 응시했는데 그때도 필답 고사에 합격했다. 주변에서 필답 고사에 합격한 다음에는 누구를 뽑든 경영자의 결심 사항이니 높은 분을 찾아가 보라면서 정치부장 손세일(孫世一) 씨를 소개해 주었다. 나를 본 그가 말했다.

"잘될 겁니다. 필답고사에 4등을 했군요."

나는 합격은 떼어놓은 당상이라고 여기며 자신 있게 면접장에 들어갔다. 홍승면(洪承勉) 편집국장과 이동욱(李東旭) 주필이 면접관으로 앉아 있었다. 홍승면 씨가 나에게 말했다.

"여기에 오래 있을 사람이 아니군요."

나는 당황했다.

"아닙니다. 열심히 일하겠습니다."

두 분 가운데 누군가 말했다.

"손가락에 낀 반지가 새것인 것을 보니 결혼 날짜 잡아 놓고 직장도 없다는 처갓집 험담이 듣기 싫어 아무 곳이나 먼저 들어가 놓고 보자는 심정으로 왔군요."

나는 끝내 불합격했다. 그것이 1969년이었다. 내가 그때 동아일보에 합격했더라면 내 인생은 많이 바뀌었을 것이다. 아마 소심한 성격 때문에 낙오했을지도 모른다. 아니면 동아투위 때 잘려 평생을 낭인으로 고생했을지도 모른다. 나중에 이야기를 맞추어 보니 합격했더라면 이부영(李富榮) 의원과 입사 동기가 될 뻔했다. 나는 지금도 심사위원이었던 두 분에게 야속하다는 생각을 가져본 적이 없다. 그분들이 거기까지 오르는 데에는 사람 보는 안목이 크게 작용했을 것이라고 나는 생각했다.

행복과 불행을 저울에 재어 보면

우리 인생 각자가 평생에 걸쳐 겪게 되는 행복과 불행의 총량은 모두 같다. 자식이 자살하거나 이혼하고, 마약 사범으로 또는 음주운전 사고로, 형제 사이의 송사(訟事)에 평생 시달린 재벌은 나보다 행복했고, 셋방에서 자녀들 여럿 낳고 오순도순 사람 냄새 맡으며 산 그 빈한한 구멍가게 주인은 나보다 불행했을까? 그렇지 않을 것이다.

나도 그 재벌이 겪어 보지 못한 행복을 느낄 때가 있었고, 나도 자식 때문에 이불 속에서 울며 그 구멍가게 주인보다 슬플 때가 많았다. 그래서 솔로몬은 이렇게 말했는지도 모른다.

"지혜가 많을수록 슬픔은 깊고,

지식이 많을수록 수심(愁心)도 는다."(For with much wisdom comes much sorrow; the more knowledge, the more grief.) (『구약성경』「전도서」1 : 18.)

한 무제(漢武帝)도 〈추풍사〉(秋風辭)에서 비슷한 말을 했다.

"기쁨이 넘치면 슬픔도 깊도다." (歡樂極 哀情多)

인색과 근검의 차이

아마도 나를 겪어 본 사람들은 내가 인색하다는 인상을 받았을 것이다. 그것은 사실이다. 나는 근검절약이 미덕이요, 삶의 길이라고 생각하며 일생을 살았다. 어린 시절에는 학용품을 제대로 사 본 적이 없었다. 내 지인 가운데 한 분은 공책을 아끼느라고 띄어쓰기를 하지 않았다지만, 나는 몽당연필도 없었다.

그럴 때면 교실 밑의 통풍구로 들어갔다. 그 컴컴한 바닥을 기다 보면 조금 환한 곳이 나타났다. 그곳은 교실에서 보면 작은 구멍이 뚫린 곳이다. 옛날 단층 교실은 마룻바닥이 모두 나무였다. 오랜 세월이 흐르다 보니 틈새가 생기고 목재의 매듭에 난 관솔 구멍이 생기는데 그 밑에는 자잘한 학용품이 몇 개씩 있었다. 장난이었든 실수였든 아이들이 빠트린 것이다. 연필, 지우개 그리고 몇 가지의 크레용 등이 있었다. 재수 좋은 날이면 몇 주일 쓸 학용품을 얻을 수 있었다.

나는 대학 교수 30년 동안 이면지를 썼다. 자투리 종이는 오려서 메모지로 썼다. 동료 교수는 나에게는 뭐라 하지 않고 그런 용지로 원고지를 만들어 쓰는 내 조교를 나무랐다. 나는 파지나 이면지를 함부로 버린 적이 없다. 조교가 새로 왔을 때의 첫 지시는 종이 아까운 줄 알라는 것이었다.

샘표식품 창업자 박규회 회장

나는 청년 시절에 샘표[泉] 간장의 창업주인 박규회(朴奎會) 회장님을 종로 6가 기독교대한복음교회에서 10여 년 동안 모신 적이 있다. 그분은 가끔 낙원동 집으로 젊은이들을 불러 그분의 고향음식인 함경도 냉면을 대접했는데, 그의 메모지는 손님들이 버리고 간 담뱃갑을 풀어서 편 것이었다.

그 무렵 그분의 세 아들(?)이 모두 차관급 고위공무원이었으니 사업이 아니더라도 궁핍한 분이 아니었다. 그 장면은 나에게 깊은 감동을 주었다. 젊은 날의 충격이나 감동은 오래간다.

지금도 나는 이면지를 오려 메모지로 쓴다. 내 평생 지우(知友)에 갑부의 손자가 있는데, 그는 나의 그런 모습을 보면서, 대학 교수가 궁상떨지 말라며, "그래서 재산이 얼마나 늘었느냐?"고 면박을 준다. 그럴 때면 나는 평생 지우인 그에게서 넘을 수 없는 신분의 벽을 느낀다.

언제인가 나는 그와 이야기를 나누던 가운데, 나의 아버지는 소작농이었는데 아버지보다 젊은 지주의 아들이 꼭 우리 아버지의 이름을 "씨" 자도 붙이지 않고 부르는 것이 가슴 아팠다고 했더니 그가 이렇게 말했다.

"지주가 소작농의 이름을 부르지 그럼 뭐라고 불러?"

그리고 나는 입을 다물었다. 그리고 대동법(大同法)이니 환곡(還穀)이니 하는 것이 얼마나 허구에 찬 것이며, 가진 무리의 허위의식이요, 잘못 가르친 것인가를 많이 생각했다. 그렇게 성장한 내가 이건희(李健熙)나 삼성(三星)에 적개심을 갖지 않은 것이 희한하게 느껴질 때가 있다. 대한민국 역사에서 세상 떠나며 14조 원을 국가에 바친 사람이 있었나? 정신대 팔아 포도주를 홀짝거리며 히죽거리는 무리와는 다르다.

아들이 어느 날 멀쩡한 운동화를 새것으로 바꿔 달라기에, 나의 헌 구두를 보여주며, 더 신을 만하다고 했더니 그가 이렇게 말했다.

"아빠의 시대와 우리 시대는 달라요."

내 뱃속으로 난 자식도 나를 그렇게 생각하는데 남들인들 오죽했겠는가? 나는 아무 말 없이 새 운동화를 사 주었다.

어느 날 딸이 내 산책용 운동화를 새로 사 주겠노라고 했다. 나는 거절하며 "앞으로 20년 더 신은 다음에 빈민국에 수출하면 다시 10년은 더 신을 수 있다"고 말했다. 그랬더니 딸이 그 운동화를 나도 모르게 내다 버리고 새것으로 사 왔다. 발은 편했지만, 마음은 불편했다. 이건 내가 사는 방법이 아니었는데.

인간은 푼돈으로 인색하게 된다

내 친구 가운데 백만장자가 있다. 서울에 큰 종합대학을 인수하려는데, 나에게 총장으로 가려느냐고 물었을 정도이다. 그의 집에 놀러 간 적이 있는데 화장실을 다녀온 뒤에 방을 찾지 못했다. 그는 늘 인색했다. 바둑을 두면 꼭 이 가난한 서생에게 기료(棋料)를 내라고 했다. 그 돈 5천 원이 아까워서……. 그러면서 한다는 소리가, "마침 나에게 잔돈이 없어서"라고 한다. 큰돈이면 거슬러 받으면 된다. 아니면 1억짜리 수표만 넣고 다녔나?

인색하게 모아 부자가 되었는지, 부자가 되면 다 저렇게 인색하게 되는지 모르겠다. 작은 것을 사랑하지 않는 사람이 큰 것을 사랑할 수 없듯이, 푼돈을 제대로 쓸 줄 모르는 사람은 큰돈을 쓸 줄 모를 것이다. 돈에 인색하다는 소리를 듣는 사람을 보면 큰돈 아끼다가 인심을 잃는 것이 아니라 잔돈푼에 인심을 잃는다. 그가 세상을 떠났을 때 애도하는 사람도 없고 덕담하는 사람도 없었다. 모두 한마디씩 했다.

"그 돈 아까워서 어찌 눈을 감았나?"

마당

서정주(徐廷柱)

봄에서 가을까지 마당에는
산에서 거둬들인 왼갖 나무 향 내음
떡갈나무 노간주에 산초서껀 섞어서
아버지가 해다 말리는 산엣나무 향 내음

해가 지면 이 마당에 멍석을 깔고
왼 식구가 모여 앉아 칼국수를 먹었네.
먹고선 거기 누워 하늘의 별 보았네.
희한한 하늘의 별 희한스레 보았네.

떡갈나무 노간주나무 산초 냄새에
어무니 아부지 마포 적삼 냄새에
어린 동생 사타구니 꼬치 냄새에
더 또렷한 하늘의 별 왼 몸으로 보았네.

오해의 무서움

내가 가르친 학생 가운데 '김희'라는 외자 이름이 있었다. 그런데 공교롭게도 나와 같은 학교에 근무했다. 그리 가까운 사이는 아니어서 성은 미스터 김이라는 것만 알았을 뿐 이름을 잘 몰랐다. 그런데 그가 업무 때문에 나에게 전화를 할 일이 가끔 있었다. 나는 전화를 받을 때면 설령 조교의 전화라 하더라도 최상의 예의를 갖춘다.

"감사합니다. 신복룡입니다."

그런데 저쪽 말투가 이상하다.

"저 김입니다."

세상에 제일 건방진 전화가 "나 박이요." "나 최요." 하는 것이다. 또 조교 시켜 걸어서 바꾸는 인간들은 더욱 천박하다. 스스로 세계적인 대가라고 여기는 어느 교수는 전화를 걸면 "부산이요." 한다. 세상에 부산 사람이 한둘인가? 부산 하면 자기인 줄 알아야지, 하는 것이 그의 생각이다.

어느 국무총리 비서실장은 꼭 비서를 시켜 나를 불러낸 다음 "내요." 한다. 저와 내가 터놓고 지내는 사이도 아니다. 나는 그 총리를 사람 취급을 하지 않았다. 비서를 어떻게 가르쳤기에……. 비서의 전화 받는 것을 들어보면 그 상사의 인격을 알 만하다.

"저 김입니다." 하는 전화를 받을 때면 참 건방진 녀석 다 봤다고 여기며 그날을 찜찜하게 보냈다. 그런데 시간이 흘러 그가 나에게 전화를 걸 때, "저 김입니다."라고 말한 것이 아니라 "저 김휩니다."라고 말한 것을 내가 잘못 들었다는 것을 알았다. 나는 퇴직할 때까지 그에게 미안한 감정을 안고 살았다. 내가 그를 미워한 것이 얼마나 큰 죄였던가?

우리 성당에는 나와 같은 아파트에 살며, 성당 가는 길목에서 그의 남편과 함께 자주 만나는 여인이 있다. 나는 그를 볼 때마다 공손히 인사를 했다. 그러나 그 여인은 들은 체도 하지 않았다. 1년을 그러다가 "별 여편네 다 봤다."고 푸념하며 다시는 인사를 하지 않았다.

그러다가 어느 성당 모임에서 그 여인이 오랜 치매로 고생하며, 딸도 알아보지 못하는 실어증 환자라는 말을 듣고 나는 억장이 무너지는 것 같았다. 나는 가슴을 치며 통회(痛悔)했다. 그동안 내가 얼마나 큰 죄를 지었나, 생각하니 마음이 너무 괴로웠다.

오해라는 것이 얼마나 무서운 것이며, 얼마나 큰 죄를 짓는 것인가? 내가 깨달은 오해만도 그렇게 크고 많은데 내가 모르고 지은 죄는 또 얼마나 클까? 그 뒤 통회의 기도를 많이 했다. 그리고 나는 통회의 기도를 할 때 "내 탓이오."를 외며 남들이 세 번 가슴을 치는 동안 두 번 더하여 다섯 번 가슴을 친다. 그런다고 내 죄가 씻기는 것이 아니련만, 그러지 않고서는 가책을 견딜 수가 없다.

군인의 길

내가 군대 생활을 할 무렵에는 너무 배가 고파 행군할 때면 보도에 깔린 자갈이 건빵으로 착시 현상을 일으켰다.

러시아계 영국의 작가인 카마로프(Eli Khamarov : 1948~?)는 이런 말을 남겼다.

"시인은 군대처럼 용맹스러워야 한다."(Poets are soldiers.)

내가 번역한 『플루타르코스영웅전』에는 군인의 길에 대하여 다음

한국전쟁에서의 크리스마스 이브

과 같은 명언이 나온다.

"용기란 총칼 앞에서만 필요한 것이 아니다. 운명 앞에서도 필요하다."
(「피로스전」 § 9 : 에우리피데스의 말)

"장군은 장군답게 죽어야지, 사병처럼 죽을 수는 없다." (「세르토리우스전」 § 13 : 테라프라스토스의 말)

"용감하게 죽는 것과 죽음을 가볍게 아는 것은 전혀 다른 문제이다."
(「펠로피다스전」 § 1 : 대(大)카토의 말)

"장군은 손이 깨끗해야 한다."(「아리스티데스전」 § 24)

"정치인(군인)은 죽을 때도 국가를 위해 죽어야 한다. 하물며 살아 있을 때임에랴."(「리쿠르고스전」 § 29)

"군인은 두 가지 점에서 탁월한 인내심을 가져야 한다. 첫째는 허기를 견디는 것이고, 둘째는 졸음을 이겨야 한다."(「휠로포에멘전」 § 3)

그런데 졸음이 더 고통스럽다.

러일전쟁 무렵, 사태가 어려워지자 육군 대신에서 스스로 강등하여 극동군 사령관으로 부임한 쿠로파트킨(Alexei N. Kuropatkin)은 그의 『회고록』에서 이런 말을 했다.

"어쩌면 이번 전쟁에서 우리가 질 것이다……. 러시아 사병에게는 적군의 포탄보다 보급계 하사가 더 무서웠다."

이 책은 당시 금서가 되었다.

"나라를 지키는 것은 튼튼한 참호가 아니다"

나는 55년 전, 30사단에서 보병으로 복무했다. 우리가 하는 일은 정규 전투 훈련이었지만 간혹 전차 저지선 축조 공사의 사역병으로 동원되었다. 콘크리트로 양생하는 전차 저지선을 완성하는 데에는 통상 2주 정도 걸린다.

어느 날, 공사가 완공되자 공병 장교가 단 위에 올라서 그동안의 노고를 위로한 다음 우리에게 이렇게 물었다.

"너희들은 적군이 이 저지선을 돌파하는 데 얼마의 시간이 걸린다고 생각하는가?"

사역병들이 그것을 알 리가 없었다. 아무도 대답하지 못했다. 그러자 그 공병 장교가 이렇게 말했다.

"너희들이 2주에 걸쳐 고생하며 축조한 이 저지선을 북한군이 돌파하는 데 걸리는 시간은 35분이다. 우리는 35분의 시간을 벌려고

그들은 왜 죽어야 하는지도 모르고 죽었다.

이 고생을 했다. 그러니 적군으로부터 우리를 지켜주는 것은 이런 저지선 같은 콘크리트 시설이 아니라 바로 여러분이 조국을 지키겠다는 의지이다. 알겠나?"

우리는 목청껏 응답했다. 이름도 모르고 얼굴도 기억할 수 없지만, 55년이 지난 지금도 나는 그 공병 장교의 투철한 우국심과 그 결기에 찬 목소리. 그리고 형형(炯炯)한 눈빛을 또렷이 기억하고 있다. "국방은 의지"라고.

병기로 계산하자면 지금의 세계에서 미국과 소련이 세계를 제패하고 있어야 한다. 그러나 재래식 병기가 사라지고 최첨단 무기로 무장한 그들도 이기지 못하고 물러서는 경우가 많다. 베트남은 물론, 이란·이라크도 그렇고, 아프가니스탄과 우크라이나의 경우도 마찬가지이다. 그들은 전투에 이기고 전쟁에 지고 있는 것이다.

스파르타의 경우도 마찬가지이다. 국가를 지키는 것이 성채였다면, 성을 쌓지 않는 스파르타는 진작 멸망했어야 한다.(『플루타르코스 영웅전』「리산데르」§ 14) 그러나 그들은 그리스 문명사에서 가장 위대한 전사로 기록되어 있다. 그들에게는 이런 속담이 있다.

"전쟁이 일어나면 우리는 적군이 몇 명인지 묻지 않는다. 다만 그들이 어디에 있는지 물을 뿐이다."(『플루타르코스영웅전』「클레오메네스」§ 4)

올해(2023)가 어언 한국전쟁 73주년이 된다. 전쟁이 죽음만을 의미한다면 전염병보다 더 무서워할 이유가 없다. 담배 때문에 죽는 숫자보다 적다. 그러나 전쟁은 모든 비극의 총화(總和)이다. 죽음뿐만 아니라, 부상과 불구, 질병, 가난, 혈육의 헤어짐, 파괴, 적개심과 원한, 복구를 가장한 독재의 출현이라는 후유증 등, 그 어느 하나 아프지 않은 것이 없다. 역사에 슬프지 않은 전쟁은 없다. 그런데도 왜 정치인은 전쟁을 일으키는가?

　세계의 전쟁사를 돌아보면, 저쪽 나라 포도주가 더 맛이 좋아 일
으킨 전쟁, 여자가 부족하여 일으킨 전쟁, 평화가 무료하고 폭군이
'심심해서' 일으킨 전쟁, 남미의 경우처럼 1970년에 엘살바도르와
온두라스가 축구 경기 하다가 졌다고 일으킨 전쟁 등 어이없고 허망
한 전쟁도 있지만, 대개는 지도자의 망상에 가까운 영웅심과 꼭 이
길 것만 같은, 이를테면 꼭 돈을 딸 것만 같은 도박사의 허욕으로 말
미암아 전쟁을 많이 일으켰다. 실제로 결핍에 따른 전쟁은 의외로
적었다.

이산의 아픔(google)

　누구나 죽는다. 그러므로 죽음 그 자체가 슬픈 것이 아니라, 무고
하고, 너울 쓰고, 너무 일찍, 그리고 너무 많은 사람이 의미 없이 죽
었다는 사실, 그리고 그 치유의 시간이 너무 긴 것이 아프다. 그들의
아픔은 그들이 지은 죄 탓이 아니라, 무모하고, 허욕에 찬 무리의 몰
(沒)역사적(de-historical) 판단에서 비롯된 것이었다. 역사에 죄를 지
은 무리는 빌 곳이 없다.

역사의 교훈에 비춰보면 전쟁의 상흔이 아무는 데에는 대략 100년이 걸린다. 그렇게 계산하면 앞으로 남은 시간은 30년이다. 기다리기에는 긴 시간이지만, 역사의 긴 수레바퀴에서 보면 수유(須臾)일 수 있다. 그러므로 한국전쟁 73주년을 맞으면서 우리가 다짐할 것은 통일에 대한 교육과 의지이다. 서로의 상처가 아물기에는 짧은 시간일 수 있고, 잊을 수도 없고, 누구에게는 용서할 수도 없겠지만 이제 씻김굿의 시간이 필요하다.

누가 진정한 전사(戰士)인가?

이스라엘 왕 아합이 이렇게 말했다.

"병사는 갑옷을 입을 때 자랑하는 것이 아니라 갑옷을 벗을 때 자랑하는 법이라고 알려라." (『열왕기』(상) 20 : 11)

* 아합(재위 : 기원전 873~851)은 북이스라엘 왕국의 7대 왕이자 오므리 왕가의 두 번째 왕이다.

아합과 엘리야

자동차에 얽힌 이런저런 이야기

나는 서울 근교의 산간 마을인 구리시 아치울에 산 적이 있다. 마을 길을 나오면 서울로 가는 길은 단 하나뿐이다. 옆으로 빠지는 길이 없는데 사람들은 모두 광나루역까지 가는 것이다. 나는 혼자 가기 미안하여 걸어가는 분께 합승하라고 말한다. 물론 고맙게 생각하는 분도 많지만, 모두가 그런 것은 아니다. 어느 여학생은 "나 그런 여자 아니에요."라고 돌아보지도 않고 간다.

어느 젊은 여자는 "필요 없어요." 하고 간다. 필요 없다니? 내가 껌 하나 팔아달라고 전철에서 부탁한 것도 아닌데……. 잡상인에게도 그런 말을 해서는 안 되는데, 한국의 아줌마들은 거침없이 그런 말을 한다.

더 미운 사람이 있다. 들은 시늉도 안 하고 가는 여인들이다. 그런 뒤로 나는 여성에게 합승을 권고하지 않았다. 좋은 일 하려다가 상처 입으면 나만 바보처럼 어리석은 사람이 되기 때문이다. 우리는 호의를 거절하는 방법과 예의를 모른다.

훌륭한 운전자는 가속기를 잘 밟는 사람이 아니라 브레이크를 잘 밟는 사람이다. 인생도 마찬가지이다. 노자(老子)는 이미 2천5백 년 전에 그런 말씀을 하셨다.

"브레이크를 밟아야 할 때 밟을 줄 아는 사람이 위험을 겪지 않고 오래 산다."(知止不殆 可以長久)

우리 집에서 차를 몰고 마을을 나서면 준고속도로의 4차선 대로

가 나온다. 나는 늘 우회전을 해야 하는데 왼쪽에 큰 차가 좌회전 신호를 기다리고 있으면 시야가 가려 우회전을 할 수가 없다. 어느 날인가 역시 그런 일이 생겼다. 그런데 왼쪽에 있던 어린이집 차가 2~3미터 뒤로 차를 빼주자 시야가 트여 나는 편하게 우회전을 할 수 있었다. 30여 년 전 일인데 나는 지금도 어린이집 차를 보면 가끔 그 기사가 생각나 그를 위해 화살 기도를 한다. 복 받고 잘 살라고……. 화살 기도라 함은 예정된 기도가 아니라 어느 순간에 문득 생각나는 사람을 위한 축복의 기도이다.

40여 년 전에는 봉급을 가계수표로 타던 시절이 있었다. 그 무렵에는 대학에 구내 은행이 있는 것도 아니어서 나는 달마다 화양동 조흥은행 지점에 가계수표를 타러 가야만 했다. 그런데 그곳에 주차가 고약하다. 1차선 도로여서 마주 오는 차량이 막고 있으면 빠져나갈 길이 없다.

언제인가 또 그런 일이 벌어졌다. 한 외제차가 길을 막고 서 있었다. 그때가 막 외제차 타고 교만 떨던 시절이었다. 그 기사에게 다가가서 차를 조금 뒤로 빼달라고 부탁했다. 그랬더니 들은 시늉도 안 하고 뒤로 머리를 젖히고 있었다. 다시 부탁했더니, 자기 차 위로 넘어가란다.

나는 그 일행이 은행 일을 마치고 나올 때까지 기다렸다가 겨우 빠져나왔다. 아, 나는 그 외제차 남자를 잊을 수가 없다. 그 외제차만 보면 지금도 40년 전 그 남자가 생각난다. 그 남자는 복 받고 잘 살고 있을까?

언제인가 택시를 타고 가는데 앞에서 대형 사고가 났다. 사람이 많이 다쳤다. 그때 택시 기사가 중얼거리듯 말했다.

"저럴 때는 평생 병신 되어 병원비 대주느니 차라리 아주 죽여 버려야 보험 처리도 싸고 해결하기도 편한데……."

누가 그러더냐고 물었더니 사내 연수회에서 들었다고 했다. 나는 속이 울렁거리고 머리가 어지러워 다음 신호등에서 내렸다. 그 뒤 알 만한 사람에게 그 말을 했더니, 그 택시 기사의 말이 맞는다는 것을 그 바닥 사람이면 다 잘 안단다.

만삭이 된 딸이 미국으로 돌아가려고 공항버스를 타는데 트렁크가 무거워 버스에 실을 수가 없었다. 나도 나이가 많아 25kg짜리 여행 백을 들어올리기가 어려웠다. 어쩔 수 없이 기사에게 부탁했더니 기사가 말했다.

"짐을 싣는 것은 운전사의 의무가 아닙니다."

어쩔 수 없이 곁에 있던 젊은이가 도와주어 겨우 출발했다. 2011년도에 남양주시 도농동 공항버스 정류장에서 있었던 일이다. 너무 화가 나 회사에 전화를 걸어 사장을 찾았더니 자리에 없단다. 운행 과장을 불러 불평을 말했더니 그 운전사의 말이 맞는다며 전화를 툭 끊었다. 그 사람들은 이 야만의 땅에서 지금 복 받고 살고 있을까?

『전봉준 평전』을 쓰면서 호남 땅에 가 보지 않은 곳이 없다. 전봉준이 태어나서 죽는 순간까지 평생 살던 곳과 지나간 곳을 모두 찾아봤다. 답사 거리가 대충 5천km는 넘는 것 같다. LA에서 워싱턴 D.C.의 거리가 5천km이다.

언제인가는 정읍 어느 산길에서 차에 고장이 났다. 겨우 읍내 정비소를 찾아갔다. 갓 결혼한 듯한 부부가 열심히 일하고 있었다. 나는 정비를 부탁하고 무료하게 기다리고 있었다. 그런데 정비공이 고장을 찾지 못하겠단다. 나는 속이 상해 화를 벌컥 내며 소리를 질렀다.

"D 자동차 부품은 동네 강아지도 물고 다닌다는데 그 별거 아닌 고장도 못 고쳐요?"

그런데 그 정비사가 차 밑에서 나를 물끄러미 올려다보며 이렇게 말했다.

"자동차에도 예전에 없던 병이 생겨요."

나는 머리가 띵 했다. 자동차 고장도 진화하나 보다. 바닥에 누워 있는 정비공의 얼굴이 해탈한 고승(高僧) 같았다. 나는 정중하게 사과했다. 그리고 그렇게 또 인생의 한 면을 배웠다. 내가 더 겸손했어야 하는 건데.

요즘 인도(人道)에는 수많은 전동 킥보드가 길을 막고 가로지기로서 있다. 아파트 관리인과 관공서에 신고도 해 보았지만 개선할 방법이 없단다. 주인이 둔 대로 두지 않고 호의로 곁길로 옮겼다가는 어찌 알고 주인이 달려왔는지, 노인, 애들, 여자 가리지 않고 두들겨 팬단다. 흉기를 맞을 수도 있단다. 전동 킥보드 하나 못 다스리고 아파트의 지축을 흔드는 배달 오토바이의 굉음도 단속하지 못하면서 언필칭 문화 강국이라고 한다. 그 물렁물렁한 권력으로 저 무법한 불법 노조를 어찌 다스릴 수 있을까? 소말리아도 이렇게 살지는 않는다.

우리 아파트 단지에는 폐차 비용이 아까워 고급 외제 자동차 세대를 5년 동안 방치한 주민이 있다. 관리사무소에 불평했더니 그 차를 건드릴 경우에 그 차주가 고발하면 무슨 죄에 걸린단다. 나는 이런 나라에 사는 것이 서글플 때가 있다.

길 찾기

같은 아파트에 살면서 엘리베이터에서 인사 안 하는 나라는 이 지구에서 한국인밖에 없다. 길을 물으면 들은 시늉도 안 하고 간다. 일본에서 길을 물으면 따라오면서 가리켜 준다. 가리켜 주고서도 미덥지 않아 먼발치에 서서 잘 찾아가고 있는지 바라보고 서 있다. 이런 점에서는 한국인이 일본인을 욕할 것도 없다. 한국인으로서는 일본인을 죽어도 못 따라가는 영역이 있다. 친절함과 상냥함이다.

김옥균(金玉均)의 여인 타마(玉)

한말의 정객 김옥균은 온갖 재주를 타고난 사람이었다. 인물 좋은 명문가의 자제로 서예는 망명지에서 글씨를 팔아 생활할 정도였고, 바둑은 당대의 국수였다. 김옥균이 갑신정변(1884)에 실패하고 일본에서 낭인으로 생활할 때 일본 입장에선 그는 이미 용도 폐기된 인물이었다. 고종(高宗)이 그를 죽이려고 자객을 네 명이나 보냈고, 그들의 정적 리홍장(李鴻章)이 절치부심하고 있으니 그의 죽음은 시간문제였다. 그렇다고 일본이 그를 죽일 수도 없어 홋카이도(北海島)로 유배를 보냈다.(1888)

그때 김옥균에게는 타마(玉)라는 한 여인이 있었다. 절세 미인도 아니었고 명문가의 딸이거나 야망을 품지도 않은 평범한 여인이었다. 숭모하는 사이라고 해서 살을 섞고 사는 터도 아니었다. 그저 곁에서 도와주었다. 김옥균이 홋카이도로 유배되자 타마도 그를 따라가 그림자처럼 돌보아 주었다. 그런데 김옥균은 눈치를 채지 못하고 있었지

타마(玉)

만, 한 자객이 그를 따라붙고 있었다. 대단한 야심이나 이념이 있었던 것도 아니고, 그저 공명심에 들뜬 무명의 낭인(浪人)이었다.

그 자객이 때를 기다리던 찰나, 타마는 그에게 접근하여 몸을 허락했다. 어느 날 타마는 잠자리에서 그를 죽이고 사라졌다. 이러한 정황에 김옥균은 아무런 영문도 몰랐다. 그리고 그런 일이 있은 뒤, 그 여인은 이 세상에 다시 나타나지 않았다. 만약 김옥균이 재기했더라면 이 사건은 큰 이야깃거리가 되었겠지만, 김옥균은 6년이 지나 상해에서 기구한 삶을 마쳤다. 이 이야기는 낭인의 죽음을 수사하는 과정에서 밝혀졌다. 귀하는 그런 연정을 만난 적이 있는지?

가난한 친구(貧交行)

두보(杜甫)

손바닥 뒤집으면 구름이요, 엎으면 비가 되니,

翻手作雲覆手雨(번수작운복수우)

이처럼 변덕스러운 무리를 어찌 다 헤아리리오.

紛紛輕薄何須數(분분경박하수수)

그대 보지 못했는가, 관중과 포숙의 가난했을 때의 사귐을

君不見管鮑貧時交(군불견관포빈시교)

요즈음 사람들은 이 도리를 흙덩이처럼 버린다네.

此道今人棄如土(차도금인기여토)

한국이 싫어지는 무지막지 시리즈

1) 화재 현장에서 문짝 부수고 들어갔다고 소방관에게 문짝 값 배상하라고 판결하는 나라.

2) 취중에 저지른 범죄이니 감형한다는 취중 폭행, 취중 운전과 취중 강간범을 술기운에 저지른 잘못이라 하여 형량을 낮춰주는 재판, 제복 경관을 폭행하는데도 인권이라는 이름으로 경찰이 취객에게 맞고만 있어야 하는 현행법, 사람을 죽이고 달아나는 뺑소니 차를 추격하며 그의 인권을 존중하여 발포하면 안 된다는 나라, 피해자의 인권보다 난폭 운전자의 인권이 중요하여 발포해서는 안 되는 형법, 음주 운전으로 뺑소니를 하든 사고를 치든, 연예인은 공인이니 불구속을 원칙으로 하는 나라, 음주 사고 내고 달아나는 외제차 주인의 인권은 중요하고 새벽에 파지 주워 가난한 사람 돕다 그 차에 치여 죽은 권사님의 목숨에는 인권도 없는 나라. 얼마 전에 미국에서 음주 운전 사고를 내고 달아나는 흑인 기사에게 경찰은 기관총 60~90발을 쏘았다.(『중앙일보』 2022. 7. 5.) 공권력 남용의 시비는 있었지만, 그 경관은 구속되지 않았다.

3) ss(쌍문동), kk(까치산), tt(뚝섬), pp(뽕, 오디)를 두음으로 쓰는 영문 표기법과 미국 사람도 못 읽는 영문 도로 명칭. 'Anguk'이라 쓰고 '안국'이라고 읽으란다. 길을 막고 미국인에게 물어보라. 이게 '앵억'이지 어찌 '안국'이 되나? 그러면 어찌 써야 하나? 'Ankook'이라고 써야 옳다. 'Singil'을 '싱일'이라고 읽지 '신길'이라고 읽을 미국인은 없다. 'Shinkil'이라고 써야 맞다. "머리 나쁜 사람은 어찌해 볼 도리가 없다."(孔子 :『論語』「陽貨」 "下愚不移") 한국의 국어정책

이 그렇다.

4) 수학여행 가다가 익사 사고로 죽은 학생의 보상금이 조국을 지키다 죽은 윤영하 소령보다 총계 환산 200배가 많은 나라. 곧 아홉 번째 재조사를 시작한단다. 한 회에 조사비만 150억 원의 예산이 책정된다. 결과보고서는 일곱 줄이다. 조사원의 생일 케이크 값까지 예산에 책정되어 있다. 총액으로 따지면 미국 세계무역센터(WTC) 9·11사태의 조사 비용보다 많다. 부모의 죽음에는 백일 탈상을 하고, 소풍 가다 죽은 아이들을 위해 8년 상복을 입는 인도주의자들의 나라. 무슨 미궁 사건이라고 10년에 걸쳐 아홉 번을 조사해야 하나? 그런데 아직도 조사가 안 끝났다.

5) 사이시옷(ㅅ)은 곳간(庫間)·셋방(貰房)·숫자(數字)·찻간(車間)·툇간(退間)·횟수(回數)의 여섯 단어에만 쓴다는 한글맞춤법. "초점"(焦點)이라 쓰고 "초쩜"이라고 읽으란다.

6) 부패정치인에게 남용되는 사면권과 다음 선거 이전에 복권될 수 있다고 믿고 있는 국회의원들의 파렴치함. 비리 국회의원이 출옥할 때 "다음 국회의장 나오신다."며 환영 시위하는 나라. 교육 비리로 국회의원 체포동의서가 표결되던 날 당사자가 회의장 문 앞에 서서 일일이 의원들에게 굽신거리며. "부(否) 표 좀 던져주십시오" 하고 사정하여 구속을 모면하는 나라. 국회의원 임기가 끝났는데도 구속되지 않고 잘 살아가고 있다. 정치인은 교도소에서 형기를 마쳐야 하며, 국회의원 체포동의서에 국회가 가부의 답변이 없으면 가결된 것으로 보아야 한다. 현직 국회의원이 어디에 사는지 몰라 재판을 진행하지 못하는 나라 - 나는 그 사람을 63빌딩 로비에서 봤다.

7) 적자 나는 사업장에서 시너통 들고 임금 인상 파업하는 나라.

내 자리를 내 자식에게 물려달라고 주장하는 노조의 나라.

8) 대통령이 독도(獨島)를 찾아가 현판 쓰다듬는 나라. 군수나 경찰서장이 할 일을 국가 원수가 하며 우아하게 기념 촬영을 한다. 군수가 대통령 짓을 하는 것을 참월(僭越)이라 하고, 대통령이 군수 노릇을 하는 것을 용렬(庸劣)이라 한다.

9) 민주화운동 유공자의 명단이 국가 기밀이고, 그들 7천여 명의 이름은 "개인정보보호법"에 따라 공개되지 않는 나라.

10) 세계에서 일곱 척밖에 없는 초대형 크루즈 선이 동시에 두 대가 정박할 수 있도록 제주 해군 기지를 만들어야 한다고 시위하는 NGO의 나라. 그 초대형 크루즈 선 한 척이 제주항에 정박할 날이 10년에 한 번도 어려울 것이며, 두 척이 한꺼번에 입항하는 일은 100년에 한 번도 어려울 것이다.

11) 일본대사관 앞 지하철 3호선 안국역을 "독립 운동 테마 역"이라 부르고, "왜놈 저며 죽이자"(屠戮)는 글을 슬라이딩 도어(5번 차량)에 써 붙여 놓은 나라. 일본 긴자역(銀座驛) 슬라이딩 도어에는 "조센징 저며 죽이자"는 표어가 없다.

12) 나는 서울 응봉동 아파트 24층에 산 적이 있다. 봄철이면 유리창 물청소를 해야 하는데 비용은 대체로 가구당 1,000원이면 된다. 그런데 1층에 사는 여자가 자기 집에 물 튀는 것이 싫다면서 반대하며 1,000원을 낼 수 없다고 우겨 끝내 청소를 못했다. 반상회에서 내 아내가 그 돈 1,000원을 자기가 내겠다고 말했더니, "교수 마누라가 잘살면 얼마나 잘사느냐?"고 그 여인이 대들었다. 그리고 그 뒤로 아내는 아파트의 이웃과 담을 쌓고 살았다.

13) 나는 건국대학교 출판부장을 맡은 적이 있다. 대학출판부는

영업 손익이 있기 때문에 독립채산제로 운영돼야 한다. 성동구청에 출판사 설립 신고를 하러 갔더니 담당자 왈, 실제로 그곳에 영업지인 건국대학교가 있는지 현장에 출장을 나가 확인한 다음에 영업 허가를 내주겠다고 말했다. 건국대학교와 성동구청은 담장이 붙어 있다.

14) 나는 건국대학교 중앙(상허)도서관장을 맡은 적이 있다. 그때가 88올림픽 기간이었다. 나는 당시 도서관 신축 개관 기념으로 대만과의 도서 교류전을 준비하였는데, 대만 측에서 문방사우(文房四友) 전시회도 한 곁에서 함께 열고 싶다고 하기에 동의했다. 대만 측에서 도서와 함께 화선지 3천 장을 들여오는데 세관에서 통관되지 못했다. 세관 담당자에게 연유를 물었더니 화선지가 실제로 3천 장인지 한 장씩 헤아려 보아야 하므로 시간이 며칠 걸린다고 대답했다. 전시회가 임박했던 터라 나는 세관 브로커를 통하여 겨우 통관한 적이 있다. 그 뒤로 관세청만 보면…….

15) 얼마 전, 공정거래위원회의 발표를 보니 어느 10대 기업은 하도급 업체에 체불한 돈을 32년째 갚지 않았다. 다툼이 있어서가 아니라, "다음 달에 꼭 지불한다"고 약속하고 32년을 끌었다. 한 사람이 아파트 7천 채를 소유하고 임대업을 하는 나라, 5만 원 지폐의 장폐율(藏幣率: 한국은행권이 개인 캐비닛에 들어있는 비율)이 45~60%인 나라, 작년(2022년)에 봄철 집 내부 실내 장식 바꾸는 데 72억을 썼다는 어느 10대 기업의 회장과 같은 하늘 아래 사는 게 싫다.

16) 승객 탑승률이 예비타당성 조사의 1/1,000인 비행장을 건설해 놓고 활주로를 고추 말리는 데 쓰는 나라.(『조선일보』 2023. 12. 22.)

보수와 진보의 차이

진보는 분열하여 무너지고, 보수는 부패하여 무너진다는 것이 전통적인 이론이었다. 그러나 요즘 세태는 그렇지도 않다. 어떤 면에서는 진보가 더 썩었고, 보수가 더 분열해 있다. 이 세상에 살아남은 무리의 공통점은 "빨대들"이라는 사실이다.

이민 심리(Immigrant psychology)

1) 고향 동포를 만나면 이야기가 길어진다. 말이 그리웠기 때문이다.

2) 고향에서 먹던 추억의 음식 이야기를 많이 한다. 청진동 해장국이며, 을지면옥의 냉면이며……

3) 조국에 있을 때 나도 금송아지가 세 마리였든가, 아니면 고난의 삶을 살았다.

4) 조국이 어려움을 겪고 있다는 소문을 들을 때 꼭 안타까운 것만은 아니다.(라 로슈푸코) 고국에서 겪었던 악몽과 함께 나의 선택이 옳았다는 생각으로 위로를 받는다.

서산대사(西山大師)의 계율

눈을 밟고 들판을 걷더라도

踏雪野中去(답설야중거)

모름지기 발걸음이 어지럽지 말아야 하느니

不須胡亂行(불수호란행)

지금 내가 가는 길을

今日我行跡(금일아행적)

뒷사람이 따라오기 때문이라.

遂作後人程(수작후인정)

* 이 시는 김구(金九)의 휘호로 널리 세상에 알려져 마치 김구가 지은 것으로 알지만 김구의 작품이 아니다. 또한 서산대사가 법어에서 인용한 것이 인연이 되어 서산대사의 시로 알려져 있으나 그도 아니다. 이 시는 영조 시대에 호조참판을 지낸 이양연(李亮淵, 1771~1853)이 원작자이다. 그러나 서산대사가 법어로 썼다기에 여기에서는 "서산대사의 계율"이라고 시제(詩題)를 단 데 대하여 독자들의 양해를 빈다.

해방정국의 지도자들

해방정국에서는 암살이 많았다. 그런데 역설적이게도 우익의 지도자는 우익의 손에 죽었고, 좌익의 지도자는 좌익의 손에 죽었다. 이는 동종(同種)의 변심(?)이 이종(異種)의 변심보다 더 증오스러웠다는 뜻이기도 하지만, 달리 생각하면 해방정국의 이념이 그만큼 풋설었다는 뜻도 된다.

여운형(呂運亨)

허헌(許憲)

박헌영(朴憲永)

홍명희(洪命熹)

해방정국에서의 좌익지도자들, 이를테면, 홍명희(洪命熹)나 여운형(呂運亨)이나 박헌영(朴憲永)이나 이극로(李克魯)나 허헌(許憲)이나 이현상(李鉉相)의 가족들은 이미 북한에 넘어가 살고 있었다. 이를 어떻게 설명할 수 있는가? 나도 곧 넘어갈 것이니 너희들이 먼저 가 있으라는 뜻이었을까? 나는 어차피 여기에서 목숨을 잃을지도 모르니 너희들만이라도 넘어가 살라는 뜻이었을까? 아니면 인질이었을까?

해방정국에서 이념은 혈육을 넘지 못했다. 그러나 더 불행하게도 혈육은 돈을 넘지 못했다. 먹고사는 문제를 해결하지 못하는 이데올로기는 의미가 없다. 진보주의자이든, 보수주의자이든, 이념은 결국 생계의 문제이다.

쥐를 소탕하는 방법 가운데 하나는 건강한 쥐를 잡아 오랫동안 굶긴 다음 쥐 고기를 먹인다. 그의 건강이 회복된 다음에 그를 풀어주면 그는 쥐만 잡아먹는다. 해방정국에서는 수많은 변절이 있었다. 그런데 그들이 친정(?) 식구들을 색출하는 데 더 탁월했고, 옛 동지를 탄압하는 데 더 잔혹했다. 굶은 쥐처럼.

관상

나는 관상을 믿는다. 특히 주군(主君)을 상(傷)할 관상을 나는 거의 맞혔다. 우리나라의 국가 수반 가운데 이마가 좁고 광대뼈가 솟고, 하관이 빠른 사람, 이를테면 바나나 우유 팩처럼 생긴 세 지도자는 모두 비명에 죽었다. 김구(金九)와 박정희(朴正熙)와 노무현(盧武鉉), 링컨(A. Lincoln), 킹(Martin L. King)이 같은 관상이다. 관상에서는 이를 형처지상(荊妻之相)이라 한다. 형처(荊妻)란 본디 아내를 낮춰 부르는 말이지만 여기에서는 "아내에게 가시관을 씌워 줄 만큼 몹쓸 짓을 아내에게 남긴 남자의 관상"을 뜻한다.

한국의 지도자 가운데에는 비명횡사한 사람이 많다. 그런데 그들은 한결같이 공통점이 있다. 자기 관상이 나빠서라기 보다 주군을 상(傷)할 부하를 두었다.

카이사르가 죽으며, "아, 브루투스 너마저……."라고 말했다는 것은 셰익스피어가 지어낸 말이다. 카이사르는 평소에 이렇게 말했다.

"아, 저 얼굴에 핏기 없이 핼쑥한 놈들이 무섭다."

카이사르는 그 얼굴 핼쑥한 부하들을 바로 보지 못한 채 망토로

김구   박정희   노무현

얼굴을 감쌌다. 그런 사이에 카시우스가 칼로 찔렀다.

삼성(三星)의 이병철(李秉喆) 창업주가 신입사원 면접 때 관상쟁이를 곁에 두었다는 것은 괜한 낭설이 아니다.

관상의 80%는 눈빛이다. 그 나머지는 피부색, 얼굴 모습, 체형, 걸음걸이, 뒤태, 자는 모습, 밥 먹는 모습, 고개를 들거나 숙인 모습 등 오만 가지를 다 본다. 그러자면 3일을 그와 함께 보내야 그의 운명을 말할 수 있다.

그러나 덕담이 아니면 알면서도 말하지 못하는 부분이 많다. 관상을 보는 사람이 잘 알고 있다 해도 말해서는 안 되는 영역이 세 가지 있다.

첫째로, 살아 있는 사람의 삶과 죽음의 시기를 말해서는 안 된다. 그것은 신의 영역이기 때문이다.

둘째로, 뻔히 잘 알거나 가까운 사람의 운명을 말하지 않는다. 진실을 말하기 어렵기 때문이다. 관상 보러 온 사람이 아니라 친구요, 형제로 보이기 때문이다. 아무리 명의가 된 정신과 의사라도 가족과 친지를 못 고치는 것과 같다. 그러나 액운을 피할 길이라면 가르쳐 주는 것이 좋다. 그럴 경우에 알고도 안 가르쳐 주는 것은 도리가 아니다.

셋째로, 악담[저주]을 해서는 안 된다. 삶에 도움이 되는 덕담과 잘 될 길을 가르쳐주어야 한다.

그 이야기의 연속선상에서 수명을 늘릴 수 있을까? 수명을 늘릴 수 있다. 어떻게? 적덕(積德)하는 것이다. 내년에 죽을 관상인 사람이 내년에 가면 다시 내년에 죽을 관상이다. 그렇게 천수를 누리는 사람들이 있다. 인간의 수명을 늘리려면 30만 번의 적덕이 필요하다고 한다. 평생 장수를 하는 사람이 3만 일(日)을 사는데 하루에 어찌 열 번 적덕할 수 있을까? 그것이 가능하다. 큰 적덕은 축복이 기하급수적으로 늘기 때문이다.

내가 겪어 본 바에 따르면, 이런 사람은 피해 가시라

1) 얼굴에 핏기가 없이 파리한 사람, 곧 얼굴이 희다는 뜻이 아니라 송장처럼 죽은 살빛을 말하는데, 이런 사람은 반드시 주군을 상(傷)하게 한다.

2) 뒤에서 자기를 부르는데 몸을 돌리지 않고 고개를 돌려 돌아보는 사람을 효시낭고(梟示狼顧)라 한다. 올빼미와 늑대는 뒤에서 기척이 들릴 때, 몸을 돌리지 않고 목을 돌려 본다.(『삼국지』「사마의(司馬懿)전」) 이런 사람은 인생을 타산으로 살며, 언제든지 당신을 버릴 수 있다.

3) 오리걸음을 걷는 사람은 탐욕스럽다. 이런 사람을 주군으로 모시는 것은 보탬이 안 된다.

4) 말을 하면서 웃을 일도 아닌데 피식거리며 냉소를 띠는 사람.

5) 말을 할 때 입이 히죽거리듯이 돌아가는 사람.

6) 목소리가 탁하거나 찢어질 듯이 쇳소리가 나는 사람, 또는 여

성이 남성의 목소리를 내거나 남성이 여성의 목소리를 내는 사람들은 가까이할 귀인이 아니다. 귀인은 성음(聲音)이 부드럽고 기름지다. 영국의 배우로서 리즈 테일러(E. Taylor)의 남편 리차드 버튼(R. Burton)의 목소리가 그렇다. 어느 부자(父子)처럼 가성(假聲)을 내는 것은 좋지 않다.

7) 늘 거처하는 공간이 어둡거나 음침한 사람. 이런 증세를 광선기피증(sun-phobia 또는 photo-phobia)이라 하는데, 이들은 대체로 고소공포증을 함께 앓고 있다. 그들의 심층 심리는 죄의식이다.

8) 눈썹이 짙고 미간이 좁은 사람 또는 콧구멍이 좁은 사람. 이런 사람은 대체로 인색하여 일생토록 남에게 베푸는 일이 적다.

9) 대화하면서 손가락으로 상대의 가슴을 노리듯 하는 사람은 대체로 위아래를 모르는 사람이다.

10) 말이 물 흐르듯 하지 않고 단어마다 마디마디 끊어지는 사람은 크게 이루지 못한다.

11) 눈이 충혈되고 살기를 띤 사람은 주위 사람을 다치게 한다.

12) 말을 할 때 눈을 자주 깜빡거리는 사람은 조심성이 많고 열등감에 사로잡혀 세상을 조금 삐뚤거나 비판적으로 보며 순간적인 판단력과 결행이 느리다.

13) 비만한 것도 아닌데 가슴보다 배를 더 내밀고 휘적거리듯이 느릿하게 걷는 사람은 대체로 허세에 가까운 오만에 사로잡혀 있고, 의리는 초개와 같다. 그는 자기가 노벨상을 타야 하는데 세상이 자기를 몰라본다고 개탄한다.

14) 걸을 때 손을 거의 흔들지 않고 꼿꼿이 걷는 사람은 명리(名利)를 위해 염치를 버릴 것이다.

15) 말을 하면서 상대를 바로 바라보지 않는 사람은 무엇을 숨기거나 열등감에 사로잡혀 있다.

16) 곁의 사람과 대화를 나누면서 몸이나 고개를 돌리지 않고 곁눈질로 말하는 사람은 당신을 무시하거나 의심하고 있다.

17) 대화할 때 다리를 꼬고 앉는 사람은 방어 기제(defense mechanism)가 발달한 사람이다.

18) 이마가 됫박처럼 모나고 앞으로 튀어나온 여자는 남편의 삶이 고달플 것이다.

19) 이마나 볼의 후천적 흉터는 되도록 이른 나이에 없애야 한다.

20) 이마는 될 수 있으면 시원하게 드러내야 한다. 남자는 더욱 그렇다.

한국인의 상술

어느 날 동서울터미널 부근의 대형 전자 상가에 들렀다. 아들이 부탁한 제품을 찾으니 주인은 없다고 대답한다. 그러면 어느 가게에 가면 살 수 있느냐고 물었더니 그 주인이 볼멘소리로 이렇게 대답했다.

"내 물건 못 팔면 그만이지 내가 왜 그걸 가르쳐 줘야 합니까?"

학생들 앞에서는 조국을 사랑하라고 수없이 강조했지만, 이럴 때면 나는 조국이 싫어진다. 그리고 일본 상가의 주인들은 어떠했던가를 회상한다. 이 나라는 과연 살 만한 나라인가? 이 민족은 과연 우리가 충성하며 정과 뿌리를 내리고 살 만한 조국인가?

요즘 아이들

비가 추적추적 오는 어느 날, 약국에 들렀다. 안에는 여자 중학생으로 보이는 아이 둘이 손님이 앉는 대기자 걸상에 반쯤 누운 자세로 다리를 쭉 뻗은 채 앉아 있었다. 우산을 길쭉하게 바닥에 늘어놓아 보기에도 안 좋고 다니기가 불편했다. 내가 아이들에게 말했다.

"발도 좀 걷고, 우산 좀 치우지."

아이들은 대답도 없이 눈을 칼처럼 뜨고 나를 째려보았다. 그때 약사가 헐레벌떡 달려오더니 학생들 상관하지 말고 얼른 약이나 지어가시라며 서둘렀다. 나는 영문도 모르고 약을 받아 등을 밀려 나왔다.

다음 날 다시 약국에 들러, 어제 여학생들 앞에서 왜 나를 그리 서둘러 몰아냈느냐고 물었더니, 그 애들 잘못 건드렸다가는 큰일 난다고 했다. 한여름 폭염에 온종일 걸상에 앉아 몸을 뒤틀며 더위를 피해 시간을 보낸단다.

자리 좀 비켜달라고 부탁하거나, 행패를 부려 경찰에 신고하면 안 되느냐고 물었더니 손을 절레절레 흔들며, 그랬다가는 면도날을 빼들고 사람이나 물건을 마구 긋는다고 했다. 그 애들이 "일진"이라며, 약국을 나오는 나에게 약사가 우스갯소리를 했다.

"쟤들 무서워 김정은이도 못 쳐내려온대요."

나라가 나라 꼴이 아니다. 나를 포함하여 모두가 부모 잘못인 줄은 알겠지만, 이 나라가 어디로 가는지, 걱정스럽다.

04

내 마음의 교훈이 된 이야기

우리는 왜 사는가?

10세 이전에는 엄마 보고 싶어 산다.

10대에는 짝꿍 때문에 산다.

20대에는 애인 때문에 산다.

30대에는 야망에 산다.

40대에는 돈 때문에 산다.

50대에는 자식 치다꺼리하느라고 산다.

60대에는 노욕에 산다.

70대에는 성공한 자식/손주들 보는 재미든, 아니면 그와 반대로 가슴 치며 산다.

80대에는 회개하며 산다.

90대에는 체념 속에 산다.

한 보고서에 따르면, 건강하게 천수를 누리고 부러울 것 없이 산 인생이라면 83세 때가 가장 행복하다고 한다.

"교만은 천천히 자살하는 것"

나는 결코 겸손한 사람이 아니다. 비록 내가 명문대학 출신은 아니지만 잘났다는 인간들 알기를 우습게 여기며 살았다. 그러나 나는 늘 마음속 깊이 다짐했다. "교만은 천천히 자살하는 것"이라고. 그런데도 내가 수양이 부족하여 끝내 교만한 인간으로 보인 적이 있었을 것이고, 그와는 달리 내가 무척 겸손한 사람이라고 여긴 사람도 있을 것이다. 그들은 내 위장술에 속은 것이다.

한국전쟁 무렵 UN군 측의 대표는 조이
(C. Turner Joy) 제독이었다. 그는 평소에
그리스 고전을 즐겨 읽었는데, 특히 키케
로(Cicero)의 글 가운데에서 "*Esse Quam
Videri*"를 좋아했다. 1893년에 노스 캐롤
라이나주(州)가 이 문장을 휘장의 글로 쓴

키케로

뒤로 유명해졌다. 이 문장은 그 뜻이 깊어 영문학자들 사이에도 번역
버전이 많은데, 흔히 "To be rather than to be seen."이라고 번역한
다. [키케로(Cicero)의 『우정론』(*De Amnicitia*, § 26)] 이를 다시 우리
말로 쉽게 풀이하면 이렇다.

"인간들 가운데에는 자기가 사회적으로 평가받아 마땅하다고 여겨지
는 수준만큼의 덕망을 실제로 갖추고 사는 사람이 드물다."

그래서 솔로몬은 이렇게 말했다.

"겸손이 영광보다 먼저이다."(『구약성경』「잠언」 15 : 33)

울리는 희극 배우, 웃기는 비극 배우

찰리 채플린

비극 배우는 웃길 수 없지만 희
극 배우는 울릴 수 있다. 인생은
희극이다. 웃고 사는 사람이 속으
로는 더 울며 산다. 슬픔을 모르
는 사람은 남을 웃길 수 없다.

미국의 정신과 의사에게 한 신

사가 찾아왔다. 병명은 우울증이었다. 즐겁게 살라고 권고해 보았지만 그게 마음대로 되는 게 아니다. 그래서 의사는 마지막으로 이렇게 권고했다.

"요즘 아무개 라디오를 틀면 즐거운 이야기가 많이 나오던데 그 라디오를 들어보시지요?"

그랬더니 그 환자가 이렇게 대답했다.

"그 사람이 전데요."

검소함과 사치함의 차이

온조(溫祚)가 도읍을 정하고 궁궐을 지으니 그 모습이,
"검소하되 누추하지 않았고,
아름답되 사치하지 않았다."
(儉而不陋 華而不侈 : 『삼국사기』 백제본기 온조왕 15년)

나도, 내 아내도 그렇게 살기를 바랐다. 그러나 내면의 허영을 얼마나 극복했는지, 나는 자신이 없다.

삶이 평탄했다면

마라톤 선수들은 결승선에 들어올 때쯤, 곧 죽을 것 같은 고통이 찾아오면, "다시는 뛰지 말아야지⋯⋯." 하는 결심을 할 때가 많다고 한다. 특히 똑바르고 평평하게 한없이 깔린 길을 달릴 때면 굽잇길이

나 오르막길이라도 나왔으면 좋겠다는 생각이 든다고 한다.

그러니 굽이도 없고, 오르막도 없는 인생이 오죽 지루하고 권태롭겠는가? 마라톤 코스가 직선에 수평 도로였다면 2시간대를 깨트릴 수 있었을까? 아니다. 지금의 기록보다 더 느릴 것이다. 인생도 그렇다.

손기정 선생

살아남는 후각(嗅覺)

군대 시절, 쉬는 시간에 나는 정훈 장교에게 물었다.

"어떻게 하면 전쟁에서 죽지 않고 살아남을 수 있습니까?"

그랬더니 그 장교가 조금도 머뭇거리지 않고 이렇게 대답했다.

"고참 선임하사의 뒤를 놓치지 마라. 왜 그런지는 네가 생각해 봐라."

왜 그럴까? 그의 동물적 후각은 사는 길을 알고 있기 때문이다.

동학농민군(東學農民軍)의 영수 전봉준(全琫準)과 지리산 빨치산 두목이었던 이현상(李鉉相)이 관군의 추격을 받고 목숨이 위태로웠을 때 마지막으로 도주한 길은 전북 순창의 회문산(回文山)으로서 거의 같다. 그렇다고 해서 그들 사이에 지적(知的) 교감이 있었던 것도 아니다.

삶을 찾아가는 인간의 동물적 후각은 누구에게나 같다. 산짐승들이 사냥꾼의 무기에 다친 다음 찾아가서 쉬는 곳이 곧 명당이고 활로이다. 다친 꿩이나 노루, 전봉준이나 이현상이 삶에 대하여 느끼는 영감은 같다.

절명시(絶命詩)

전봉준(全琫準)

때를 만나서는 천지가 모두 힘을 합치더니

時來天地皆同力(시래천지개동력)

운(運)이 다하매 영웅도 스스로 도모할 길이 없구나

運去英雄不自謀(운거영웅부자모)

백성을 사랑하고 의(義)를 세움에 나 또한 잘못이 없건만

愛人正義我無失(애인정의아무실)

나라를 위한 붉은 마음을 그 누가 알까!

愛國丹心誰有知(애국단심수유지)

효수된 전봉준

"그때가 더 아름다웠다"

미국 경제사를 전공하는 한 교수가 1920년대의 공황을 취재하고
자 당시에 살았던 할머니를 찾아가 그 시절의 삶을 물었더니 한결같
이 이렇게 대답했다.

"그때가 좋았어."(It was good old days.)

왜 그러냐고 물었더니 그들은 이렇게 대답했다.

"그때는 가족과 이웃이 곁에 있었거든."

살면서 굽힐 줄도 알아야 하는데

"굽은 나무가 선산을 지킨다."는 말이 있지만 내가 본 대한민국의
모든 명문가 한옥의 대들보는 반드시 굽은 것이었다. 곧은 대들보는
없다. 너무 곧으면 힘을 받을 수 없다. 사장교(斜張橋)처럼 조금 굽어

대들보

야 힘을 받는다. 지나놓고 보니 내 인생도 그러했다. 조금 굽히고 살았더라면 그렇게 고달프지는 않았을 텐데…….

바둑 이야기

바둑에서는 두고 싶은 곳이 많은 사람이 진다. 두고 싶은 곳이 하나밖에 없는 사람은 그만큼 절박하고, 착점에 집중한다. 그러나 두고 싶은 곳이 많은 사람에게는 선택의 착오, 집중력의 이완, 방심, 교만으로 말미암아 스스로 무너진다. 화살 두 개 가진 사람이 화살 하나 가진 사람을 이기지 못하는 이치와 같다.

나의 평생 취미는 바둑이다. 바둑을 두다가 수가 보이지 않을 때가 있다. 그럴 때는 일어서서 옆으로 가 남의 바둑 쳐다보듯 내 바둑을 내려다보면 안 보이던 수가 보인다. 이런 말이 적절한 표현일지 모르겠는데, 나를 객관화시키는 것이다. 그런데 그게 쉬운 일이 아니다. 자아(ego)에 사로잡힐 때 그것은 우상(idola)이 되기 쉽다. 그래서 멀리 보고 넓게 보아야 하는가 보다.

인디언들은 광야에서 왜 말을 멈추는가?

인디언들은 광야를 달리다가 문득 말을 멈추고 뒤를 돌아본다. 왜 그럴까? 내 육신은 이렇게 허둥대고 달려왔지만 내 영혼이 제대로 따라오고 있는가를 돌아보며 기다리고자 함이다.

말 탄 인디언

쉼과 게으름의 차이

러복 경

참으로 앞만 보고 허둥대며 달려온 인생이었다. 먹고살기에 바빴다고 하지만 잃은 것도 많고, 가족에게 미안하다. 가끔 차에서 내려 산천경개도 바라보고, 흐르는 시냇물에 발을 담가볼 수도 있었는데, 그러지 못했다. 내 나이가 60세에 이르기까지 나는 토요일에도 연구실에 나갔다. 남자는 밥 먹으면 10분 안에 집을 나가야 하고 해 저물기 전에는 집에 들어가지 않는 것으로 알았다.

그럴 때면 나는 가끔 영국의 교육자요 금융가였던 러복 경(Sir Lubbock)의 시를 흥얼거린다.

쉰다고 게으른 것이 아니라네
때로는 어느 여름날
나무 밑 풀섶에 누워
졸졸 흐르는 물소리 들으며
하늘 위로 떠가는 구름을 바라보는 것은
어느 모로 보나 시간의 낭비가 아니다
Rest is not idleness.
To lie sometimes on the grass
Under the tree on a summer's day
listening to the murmur of waters,
or watching the clouds float across the sky
is by no means a waste of time. by Sir Lubbock(1803~1865)

러복은 웨스트민스터의 귀족 가문에서 태어났다. 아버지는 은행 가였다. 그는 이튼 스쿨과 케임브리지대학에서 공부한 뒤 왕립천문학회 회원이 되어 당대의 수학자로 명성을 떨쳤다. 그는 대장대신 (1830~35, 1838~1845)을 거쳐 왕립학회 부회장(1830~1835, 1836~1837, 1838~1846)을 지냈으며, 만년에는 런던대학 재무부총장(Vice-Chancellor, 1837~1842)을 지냈다.

"친구야, 우리도 이쯤에서 쉬어갈 때도 되지 않았나?"

- 강영환 시집, 『불일폭포 가는 길』(2012)

"인생을 흘려보내지 말아요"

나는 재일(在日) 조선인 작가 이회성(李恢成)의 소설 『다듬이질하는 여인』을 좋아한다. 그는 한국인 최초로 아쿠다가와상(芥川文學賞)을 받았다. 평생 속만 썩이던 남편 앞에서 여주인공은 눈을 감으며 이런 유언을 남긴다.

"인생을 흘려보내지 말아요."

그리고 소설도 끝난다.

아쿠다가와(芥川龍之助)

이회성(李恢成)

다시 어머니를 생각한다

몇 년 전에 경상도에서 한 청년이 자살하려고 농약을 먹었다. 어머니는 농약이 혀에서 흡수된다는 말을 듣고 아들의 혀를 빨다가 농약에 중독되어 아들보다 먼저 죽었다. 내가 그랬다면 우리 어머니도 그랬을 것이다. 그러나 입장을 바꾸어, 어머니가 농약을 드셨을 때 우리는 어머니의 혀를 빨 수 있을까? 나는 못 했을 것이다.

노아(Noah)의 둘째 아들 함(Ham)은 잠든 아버지에게 이불을 덮어주지 않은 것이 죄가 되어 하느님의 벌을 받았다. 그의 후손들이 지금의 이슬람교도들이다.(『구약성경』「창세기」 9 : 20~26) 부모님께 이불을 덮어주지 않은 죄도 이렇게 크거늘, 다른 죄야 오죽하며, 불효막심한 내 죄야 오죽하겠는가?

아래 사진의 주인공은 충남 서산에 사는 이군익(당시 42세) 씨다. 2006년에 그의 아버지 이선주(92세) 씨가 체중이 60kg이었는데 금강산 관광을 하고 싶다고 했다. 사진은 아들이 지게를 만들어 아버지를 메고 금강산에 올라가는 장면이다. 그는 이런 말을 남겼다.

"금강산 온천에 갔더니 동행한 형님이 깜짝 놀라는 겁니다, 지게를 지는 동안 실핏줄이 터졌는지 상반신 전체가 거의 피멍이더라고요. 형님이 울컥하시는데 제가 웃자고 했습니다."

나는 가끔 이분을 위해 화살 기도를 한다. 그 아버지야 세상을 떠났겠지만, 아들은 아마 복 받고 살 것이다. 그 장면을 기억하는 사람은 시도 때도 없이 그를 위해 축복할 터이니 어찌 하늘인들 감동하지 않았겠는가?

부모님에게는 사랑보다 감사함이 먼저이다. 감사하는 마음에서 사랑이 돋아나기 때문이다. 부모

이군익 씨

이기 때문에 효도해야 한다면 그것은 의무이지 진심이 아니다. 요양원 보모와 다를 바가 없다. 그대는 대중탕에 가서 아버지나 어머니의 등을 밀어준 적이 있는가? 나는 그것을 못 해봐 80세가 넘은 지금도 울며 잠자리에 든다.

조국이 당신을 버릴 때 당신도 조국을 버릴 수 있다. 그러나 어머니가 당신을 버렸더라도 당신은 어머니를 버릴 수 없다. 어머니는 천륜이고 조국은 인륜이기 때문이다.

그러나 나는 자식들에게 효도를 기대한 적이 없다. 그 이유는 간단하다. 첫째는 내가 불효자여서 자식에게 효도를 받을 자격이 없고, 둘째는 한국과 같은 유교적 전통 사회에서는 효도가 자식의 앞길을 막을 수 있기 때문이다. 어느 대(代)에서인가는 이 효도로 말미암은 퇴행의 사슬을 끊어야 한다.

나는 내 대에서 그 죄를 짓기로 했다. 다만 바라는 바가 있다면, 자식들이 무례하지 않고 최소한의 예의를 지켜주었으면 좋겠다.

효자가 받아야 할 축복

한국정치학회에서 존경받는 어른으로 U 교수라는 분이 있다. 늘 인자하고 너그러웠다. 그는 정년 퇴직을 한 뒤 70세에 가깝도록 부모님을 모시고 살았다. 그러니 부모님은 90세가 넘으셨다. 그는 소문난 효자였다.

어느 날 그의 어머니는 손자들이 보고 싶다고 말씀하셨다. U 교수는 자손들을 불러 모았다. 손주들이 재롱을 피우고, 즐겁게 저녁 식사를 하고, 늦게 할머니에게 취침 인사를 드리고 잠자리에 들었다. 아침에 일어나 손주들이 할머니 방에 들어가 아침 인사를 드리는데 대답이 없었다. 보고 싶은 자손들을 모아 놓고 하루를 즐긴 다음 할머니는 그렇게 곱게 세상을 떠나셨다.

아버지는 몇 년을 더 사셨다. 어느 날 아버지께서 속이 불편하다고 말씀하셨다. U 교수는 늙으신 아버지를 가슴에 안고 등을 쓸어드렸다. 그때 아버지는 조용히 눈을 감으셨다.

나는 U 교수를 뵐 때마다 가슴이 멘다. 그 두 분의 운명이 그리 행복할 수 없겠다는 생각, 그 효자에게 하늘이 복을 내려 그토록 곱게 여한 없이 세상을 떠나셨을 거라는 생각, 그리고 효도는커녕 따뜻한 밥 한 끼 대접을 못 받고 세상을 떠나신 아버지에 대한 죄책감이 가슴을 짓누른다.

"너의 아버지는 굶어 돌아가셨어."

아버지의 마지막 모습을 지켜본 오룡이 엄마의 말이 칼로 베듯이 가슴에 박혀 있다. 자식들 때문에 속상하고, 괴로울 때 나는 누구도 원망하지 않는다. 내가 저지른 불효의 자책감이 먼저 떠오르기 때문이다.

오륜행실도
늙으신 부모를 즐겁게 해드리고자 성장한 아들이
재롱을 피우니 어린 손주가 바라보고 있다.

H 씨라는 외무부 장관이 있었다. 은퇴한 뒤에 몸이 나빠졌다. 자녀들이 병원에 모시고 가 종합 검진을 받게 해드리니 초기 치매 증상이었다. 자녀들이 아버지를 노인 병원으로 모시기로 했다. 궁금한 아버지가 병명이 뭐냐고 물었다. 자녀들은 숨길 수 없어 사실대로 말씀드렸다.

H 장관은 그날부터 물과 식사를 끊었다. 영양 주사도 거부했다. 의학적으로는 이를 단식 자살(VSED : voluntary stoping eating and drinking)이라고 한다. 옛날 우리 조상들도 나라가 망하거나 주군이 치욕을 겪으면 스스로 곡기를 끊고 삶을 마감했다. 면암(勉菴) 최익현(崔益鉉) 선생이 대표적인 사례이다. 우리는 이를 순절(殉節)이라고 한다. 아내를 먼저 보낸 미당(未堂) 서정주(徐廷柱) 선생도 그렇게 생애를 마감했다.

돌아가신 분도 깊이 고민한 끝에 결심한 것이니 그의 결심과 운명을 우리 같은 속인이 이러니저러니 말할 계제가 아니다. 그분은 아마 정신이 더 흐려져 스스로 판단하지 못하고 자식들을 고생시키느니 그나마 정신 맑을 적에 결심하는 것이 지혜롭다고 판단했을 것이다.

그러나 자식들의 마음으로 조금 더 헤아려 봄이 어땠을까? 자식들은 평생 죄의식과 고통을 안고 살아갈 것이다. 그냥 "의미 없는 연명 치료를 하지 말라."고 유언하는 정도였으면 좋았을 것을……. 그러나 치매의 치료는 의미 없는 연명 치료가 아니니 유족과 의사 모두가 난감할 것이다.

미국의 친구로 정신과 의사인 천양곡 박사가 이런 이야기를 했다. 자기 환자 가운데 노환으로 운명이 가까운 노인이 있었다. 너른 미국 땅에서 멀리 있는 자식들이 문병을 왔다. 자식들이 돌아가려 하자 아버지는 잠시 돌아갈 길을 멈추게 한 다음 그때부터 식음을 전폐하고 곧 숨을 거두었다. 먼 길에 자식들이 두 번 걸음 하도록 하고 싶지 않았기 때문이다. 모질다 여기겠지만, 이것이 부모 마음이다. 혈육은 슬픈 끈이다.

그러니 우리는 어떻게 인생을 마감해야 하나? 누추하게 죽고 싶지 않고, 고통 속에 죽고 싶지 않고, 자식들과 이웃에 폐를 끼치며 죽고 싶지 않지만 그게 어찌 내 뜻대로 되는 일인가?

1881년에 맑스(Karl Marx)는 아내 예니(Jenny Marx)를 잃고, 슬픔을 견디지 못한 채, 그 꿋꿋하던 사람이 아내를 보낸 지 꼭 15개월 만에 흔들 의자에 앉아 책을 보다가 세상을 떠났다. 그가 죽자 평생의 동지였던 엥겔스(F. Engels)는 맑스의 딸 엘레너(Eleanor)에게 말했다.

"너의 엄마가 아빠를 데려갔단다."

마르크스, 아내 예니, 엥겔스, 비서 데무스, 딸 엘레너

나도 맑스처럼 책을 읽다가 그것을 손에 쥐고 떠나고 싶다. 다만 아내보다 먼저 떠나고 싶다. 그가 없는 세상을 견디기 어렵기 때문이다.

어머니는 그래도 되는 줄 알았습니다

심순덕

하루 종일 밭에서 죽어라 힘들게 일해도
어머니는 그래도 되는 줄 알았습니다.
찬밥 한 덩이로 대충 부뚜막에 앉아 점심을 때워도
어머니는 그래도 되는 줄 알았습니다.

한겨울 냇물에서 맨손으로 빨래를 방망이질해도
어머니는 그래도 되는 줄 알았습니다.
배부르다, 생각 없다,
식구들 다 먹이고 굶어도
어머니는 그래도 되는 줄 알았습니다.
발뒤꿈치 다 헤져 이불이 소리를 내도
어머니는 그래도 되는 줄 알았습니다.
손톱이 깎을 수조차 없이 닳고 문드러져도
어머니는 그래도 되는 줄 알았습니다.

아버지가 화내고 자식들이 속 썩여도
끄떡없는 어머니의 모습
돌아가신 외할머니가 보고 싶으시다고

E. 모우리 목사 촬영
(평양, 1930년대?)
퍼져 가는 저 동심원은 무슨 뜻일까?

195

외할머니가 보고 싶으시다고
그것이 그냥 넋두리인 줄만 알았던 나
한밤중 자다 깨어 방구석에서
한없이 소리 죽여 울던 어머니를 본 후론
어머니는 그러면 안 되는 것이었습니다.

아버지에 대한 오해

아버지(google)

우리 아버지는 단 하루라도 쉬는 것을 좋아하지 않는 줄 알았습니다.

아버지는 웃는 걸 모르시는 줄 알았습니다.

아버지는 딸이 시집가는 것을 보고 마냥 기뻐만 하시는 줄 알았습니다.

아버지는 어머니 외에 아는 여자라고는 한 사람도 없는 줄 알았습니다.

아버지는 배가 빨리 불러 와 좋은 음식 앞에서 먼저 일어나시는 줄 알았습니다.

아버지는 양복 입고 넥타이 매는 것을 싫어하시는 줄 알았습니다.

아버지 안주머니에는 늘 돈이 얼마쯤은 들어 있는 줄 알았습니다.

아버지는 좋아하시는 운동도 취미도 없는 줄 알았습니다.

아버지는 우리가 하는 말을 귀담아듣지 않으시는 줄 알았습니다.

아버지는 아무리 깊고 험한 길을 걸어도 조금도 두려워하시지 않는 줄 알았습니다.

아버지 눈에는 눈물이 한 방울도 없는 줄 알았습니다.

아버지는 우리가 객지로 떠나는 것을 좋아하시는 줄 알았습니다.

(인터넷에서 퍼온 글 : 필자를 알 수 없음)

30년 전에 MBC에서 〈폭풍의 계절〉이라는 연속극을 방영한 적이 있다. 막장 드라마니 어쩌니 뒷말이 많았다. 나는 그 작품의 예술성을 말하려는 것이 아니라 내 생애에 가장 인상 깊었던 한 장면을 추억하고자 할 뿐이다.

아버지(한영수)는 퇴직한 고위 경찰공무원으로 하릴없이 늘 집에서 외롭고 우울하게 시간을 보냈다. 딸(?) 둘(김희애와 최진실, 사촌이었나?)이 있었고, 아들(전광렬)이 있었다.

어느 날 아들이 퇴근하고 집으로 들어온다. 거실 소파에 무료하게 앉아 있는 아버지에게 다녀왔다는 뜻으로 간단히 인사하고 이층 자기 방으로 올라간다. 그때 엄마(박혜숙)가 아들을 따라 올라와 간절한 마음으로 말한다.

"퇴근길에 단 몇 분이라도 아버지하고 얘기를 나누다 올라갈 수 없겠니?"

내가 설명하고자 하는 장면은 이것이 전부이다. 그 엄마의 말이 지금도 내 귓가를 맴돈다. 한국의 가정에서 아버지와 아들 사이를 이토록 절묘하고 절절하게 표현한 작품을 나는 일찍이 보지 못했다. 그리고 지금도 그 장면을 잊을 수가 없다. 이 땅의 아들들이 저 말의 뜻을 알까?

나는 이 장면이 한국 드라마 역사의 10대 명장면 가운데 하나라고 생각한다. 아무 말 없이 제 방으로 들어가 문 콕 닫고 사는 자식은 악다구니하며 대드는 자식보다 더 불효자인 것을 나는 안다.

그러기에 성인께서도 『예기』(禮記) 「곡례(曲禮)」 상편에서 "사람의 자식으로 태어났으면 밖에 나갈 때 다녀오겠다고 반드시 아뢰고, 돌아와서는 부모님의 얼굴을 뵈어라"(爲人子者 出必告 返必面) 하셨다.

오래 전, 어느 해에 『전봉준 평전』의 자료를 찾으려고 논산의 시골을 헤매고 있었다. 문득 배가 몹시 고팠다. 둘러보니 추어탕 집이 있었다. 아주머니가 사장이고 친정어머니를 모시고 사는 듯했다. 손님도 없고 바쁜 일도 없었는지 두 모녀가 바닥에 깔린 나물을 다듬고 있었다. 그런데 그 모녀의 대화가 그토록 재미있고 다정할 수가 없었다. 어느 대목에서 딸이 어머니를 놀렸다. 그랬더니 어머니가 우리를 돌아보며 이렇게 말했다.

"노인네 놀리면 집행 유예가 2년이라우."

오랜 세월이 흘렀지만, 그 모녀가 가끔 생각나며 그런 가정이 그립다.

미국 사람들은 편지를 쓸 때 "사랑하는 아빠가"라고 끝을 맺으려면 "Lovely Dad"라고 쓴다. 그런데 글이 아니라 말로 "사랑하는 아빠"라거나 "다정한 아빠"라고 할 때는 "Friendly Dad"라는 말을 쓴다. 여기에서 동서양의 가정 문화 또는 가족 관계가 크게 갈린다.

내가 어렸을 적에 아버지는 늘 이렇게 말씀하셨다.

"자식은 재워놓고 사랑하는 거여."

이것이 우리 부모가 자식을 사랑하는 방법이었다.

내가 어린 시절 객지에서 살다가 어느 날 고향을 찾았다. 엄마는 눈물을 글썽거리셨지만, 아버지는 반가운 내색을 하지 않으셨다. 그런데 잠결에 누군가 내 몸을 쓰다듬는 것을 느꼈다. 그리고 아버지가 엄마에게 하시는 말씀이 들렸다.

"이렇게 컸어……."

나는 계속 자는 척했다. 이것이 내가 아버지에게서 느낀 처음 사랑이었다. 그 시대에는 그런 용어도 없었지만, 살아계실 적에 "사랑한다"는 말을 한마디라도 들었더라면 내 가슴이 이렇게 메마르지는 않았을 텐데. 결코 아버지를 원망하는 것은 아니지만, 그게 평생 마음에 걸린다. 그래서 가끔 손주들이 몰려와 하룻밤 자고 갈 때면 나는 사랑한다는 말을 어미변화처럼 쓴다. 내가 그런 말을 들어보지 못한 것이 한이 되어…….

딸 셋을 둔 엄마 이야기

내 아내가 친구들 모임에 갔다가 돌아왔다. 표정이 우울했다. 아내의 친구는 딸 셋을 두었다. 딸들이 성장하면서 아들 하나 더 낳으라고 성화를 부렸다. 엄마는 딸들이 남동생 하나를 더 갖고 싶어 하는 줄 알았다. 그런데 딸들의 대답은 그게 아니었다.

"아들이 없으면, 우리가 부모를 모셔야 하잖아요?"

편작의 충고 : 부부 금슬

편작(扁鵲)이 어느 날 치병(治病)에 관한 강의를 하는데 제자들이 물었다.

"선생님께서도 못 고치는 병이 있습니까?"

그러자 편작이 이렇게 대답했다.

"고치지 못하는 환자가 여섯 가지(六不治)이다."

여기에서 그가 "못 고치는 병"이라 하지 않고 "못 고치는 사람"이라고 말

편작(扁鵲)

한 뜻이 깊다. 같은 병이라도 못 고치는 사람이 있고, 고칠 수 있는 사람이 있다는 뜻이다.

제자들이 그 여섯 사람이 누구냐고 물었더니 편작이 이렇게 대답했다.

첫째, 교만한 사람(驕恣不論於理)은 나도 못 고친다.

둘째, 인색한 사람(輕身重財)은 나도 못 고친다.

셋째, 탐식(貪食)하거나 과식(過食)하는 사람(衣食不能適)은 나도 못 고친다.

넷째, 부부의 금슬(琴瑟)이 좋지 않은 집안 사람(陰陽並臟氣不定)은 나도 못 고친다.

다섯째, 태어날 때부터 불구여서 약을 먹을 수 없는 사람(形羸不能服藥)은 나도 못 고친다.

여섯째, 아프면 무당부터 찾아가는 사람(信巫不信醫)은 나도 못 고친다. (『사기』「편작 열전」)

모두 훌륭한 말씀이지만 부부 사이에 음양을 순조롭게 풀지 못하

는 가정, 곧 금슬이 좋지 않은 가정의 병을 고칠 수 없다는 말이 크게 들린다.

그 말의 연속선상에서 말하건대, 훌륭한 학자가 되려면 부부의 금슬이 좋아야 한다. 결혼하지 않은 칸트(I. Kant)나 뉴턴(I. Newton)이 결혼했더라면 더 훌륭한 학자가 될 수 있었을 것이다. 존 스튜어트 밀(John S. Mill)이 결혼하지 않았더라면, 곧 그토록 현숙한 아내를 만나지 않았더라면, 그가 그만한 학자로 성공할 수 있었을까? 그리고 나는 어땠을까?

금슬 좋은 부부가 해로한다. 집안에서 가족들이 도란도란 얘기하는 소리가 들리면 도적은 도적질을 포기하고 돌아간다. 나라도 마찬가지이다.

아타미(熱海)의 추억

일본을 여행하다가 아타미의 어느 호텔에 묵었다. 방안의 물보다 대중탕의 물이 좋다기에 호기심도 일어 대중탕에 들어갔다. 물이 좋아 다음 날 다시 가려는데 가이드가 실수하지 말라며 남탕과 여탕의 좌우 위치가 바뀌었다고 귀띔해 주었다. 사실이었다.

왜 남녀의 욕탕을 매일 바꾸지? 몹시 신기했다. 목욕을 하는데 여탕의 목소리가 곁에서 말하는 것처럼 들렸다. 목소리가 들리는 쪽을 자세히 살펴보니 남탕과 여탕 사이에 있는 칸막이의 밑이 20cm쯤 뚫려 있었다. 물이 서로 왕래했다. 그리고 천장 쪽도 마찬가지로 뚫려 있다.

아타미(熱海)

나는 아! 하고 잠시 탄복했다. 일본 사람들의 목욕탕은 왜 매일 좌우가 바뀌고 아래위가 터 있을까? 그들은 음양(陰陽)의 이치를 알고 있었기 때문에 그러는 것이었다. 그렇게 뚫어놔야 음수와 양수가 섞인다. 신의(神醫) 편작(扁鵲)이 건강을 이야기하면서 가장 역점을 두고 설명한 대목이 음양의 조화를 이루는 것이다. 그러므로 부부는 각방을 써서는 안 된다.

나는 지금까지 아내와 55년을 살면서 천 번은 다퉜을 것이다. 그러나 어느 하루도 각방을 쓴 적이 없다. 싸우고서도 한 이불 속에서 자야 한다. 그리고 살이 닿으면 더욱 좋다. 자연의 이치는 참으로 오묘하다. 왜 부부의 한쪽이 죽으면 남은 한쪽도 오래 살지 못하고 곧 죽는가? 해로하는 부부가 장수하는 이유는 여기에 있지 않을까?

나는 결혼하고 지금까지 이발소를 세 번 갔다. 군대 갔을 적에, 미국 유학 시절과 아내의 오른팔이 골절되었을 때이다. 부부 싸움을 하고 말 안 하는 냉전 기간에도 아내가 머리를 깎아 주었다. 말할 필요도 없다. 의자와 큰 보자기와 이발 기구를 가져다 놓으면 말없이 머리를 깎아 주었다.

부부 싸움

냉랭한 부부보다는 차라리 악다구니하며 사는 부부가 더 건강하고 낫다. 부부 사이의 침묵은 무시요, 무관심이며, 지옥이다. 악다구니는 그래도 조금은 관심이 있는 것이요, 어떻게 해서라도 살아 보고 싶은 의지가 담겨 있기 때문이다. 옛날의 우리 어머니들은 모든 것을 안으로 삭이며 살다 보니 "소가리"(속앓이)라는 병을 앓았다.

우리는 이를 홧병이라 하는데, 이상하게도 세계적으로 한국의 어머니에게서만 나타난다고 한다. 그래서 국제의학회에서 이 병을 hwatbyung이라 짓고, "한국의 여인에게서만 독특하게 나타나는 마음의 병"이라고 정의했다. 이건 남자들의 책임이 크다. "한국에는 집(house)은 있어도 가정(home)은 없다."는 개화기 헐버트 목사(Homer B. Hulbert)의 말이 큰 여운으로 남아 있다.

남녀가 사랑하는 차이

남자는 눈으로 사랑을 느끼고 여자는 귀로 사랑을 느낀다. 그래서 남자는 사랑하는 사람의 얼굴을 보고 싶어 하고, 여자는 사랑하는 사람의 말을 듣고 싶어 한다. 남자는 만나자 하고 여자는 전화가 길다. 사랑을 나눌 때도 남자는 보고 싶어 하고, 여자는 불을 끄자고 말한다. 이러한 차이에 대한 이해가 부족하면 서로 다투고 멀어진다.

"한 사람이 원통해도 천지의 기운이 막힌다"

강일순(姜一淳)

"애통한 일에는 땅이 운다. 그러나 원통한 일에는 천지의 기운이 막힌다."(姜甑山)

애통함은 요절(夭折), 참척(慘慽), 상배(喪配) 등, 하늘이 할퀸 상처이지만, 원통함은 마음 나쁘게 먹은 인간에게 입은 상처이다. 그래서 더 아프다. 원통함이 어찌 더 아프지 않겠는가.

내 가슴속은 아마 그 원통함으로 시커멓게 되었을 것이다. 원한이 맺히면 발길을 돌리기도 전에 복수를 생각한다.(『韓詩 外傳』卷十) 그러므로 일생을 살면서 남의 가슴에 못 박는 짓을 하지 말아야 한다. 이는 천당이나 지옥이 있고 없음과 관계없이 사람이 지켜야 할 도리이다. 특히 자식 키우는 사람은 더욱 그렇다.

어렸을 적, 국어책에 "은근과 끈기"라는 글이 있었다. 그 글의 핵심은 바로 은근과 끈기가 한국인이 이때까지 살아남은 저력이라는 것이었다. 그럴는지도 모른다. 그렇다면 그 은근과 끈기는 어디에서 오는가?

내 경험에 따르면, 한국인이 살아남은 저력은 복수심일 것 같다. 일제에 대한 복수심, 가난과 계급에 대한 복수심, 못 배운 무리의 한(恨), 여자로 태어난 서러움, 지역 차별 등이 살아남은 저력이었다. 그러니 서러움이 서러운 것만은 아니다.

용서와 망각

조조(曹操)

원소(袁紹)의 군사가 조조(曹操)의 군사에게 크게 무너졌다. 장료와 허저와 서황과 우금이 원소의 뒤를 쫓았다. 원소가 허둥대며 강을 건너느라고 문서와 수레, 금은과 비단을 모두 버린 채 다만 기병 8백 명만을 이끌고 달아났다. 조조는 더 이상 추격하지 않고 원소가 버리고 간 물건들을 수습했다.

조조가 대승을 거두고 전리품으로 얻은 금은보화와 비단을 병사들에게 상으로 나누어 주었다. 빼앗은 문서 가운데 편지 한 묶음이 들어 있었는데 모두가 허도(許都)에서 조조의 부하 장수들이 적군인 원소와 은밀하게 내통한 것들이었다.

주변에 있던 사람들이 조조에게 아뢰었다.

"일일이 이름을 대조하여 모두 죽이시지요."

그 말에 조조가 이렇게 대답했다.

"원소가 강성했을 무렵에는 나도 마음을 바로 하지 못했는데 남들이야 오죽했겠는가?"

그러고서는 그 편지들을 모두 태워버리도록 하고 다시는 그 문제를 따지지 않았다. (『삼국지』 제30회)

폼페이우스(Pompeius)가 전쟁에 이기고 돌아와 정적들을 모두 죽이려 하자 소(少)카토(Cato, the Younger)가 폼페이우스에게 말했다.

"지난 일을 묻지 말고 앞으로의 일을 걱정해야 합니다. 지난 일을 문책하기로 한다면 도대체 어느 시점까지 거슬러 올라가야 하는지를 결정하기가 쉽지 않습니다."(『플루타르코스영웅전』「소카토」§ 48)

이제 우리는 잊을 수 없지만 일본을 용서할 때가 되었다. 금년(2022)부터 우리의 1인당 국민 소득이 그들보다 높다. 식민지 시대에 겪은 오욕으로 지금까지 가위눌리며 사는 것은 좋은 삶이 아니다.

> "죄를 지은 저희의 선조들은 이미 없는데
> 저희가 그들의 죄악을 짊어져야 합니다.(까?)"
>
> (『구약성경』「예레미아 애가」5 : 7)

아마도 지금의 한국 정치는 대통령중심제가 아니라 복수(復讐)중심제인 것 같다. 한국에서 이념이 다르게 정권이 바뀌면 100명 정도가 감옥을 가 합계 200년 정도의 실형을 받으며 15명 정도가 자살하거나 의문사를 겪는다. 나도 복수심으로 치를 떨고, 그 힘으로 일어선 때도 있지만, 복수심은 결국 내 살 깎아 먹는 짓이었다.

배려

서양 사람들은 성냥불을 켤 때 앞으로 당긴다. 동양 사람은 밖으로 밀어서 불을 붙인다. 무슨 차이가 있을까? 앞에 있는 사람에 대한 배려의 차이이다.

인간이 짐승보다 못할 때

들짐승이나 꿩이 사냥꾼의 총에 맞아 상처가 나면 친구가 와서 서로 핥아주거나 아늑한 곳으로 데려가 입으로 흙을 발라 지혈해 준다. 짐승이라고 도덕이 없는 것이 아니다. 오히려 그들만도 못한 인간이 많다.

일본을 잘 아는 친구에게 내가 들은 이야기인데, 그가 읽은 책에 이런 글이 실려 있었다고 한다.

일본의 어느 마을에서 집을 고치느라고 집의 일부를 헐었다. 지은 지 3년이 된 집이었다. 인부들이 허는 과정에서 도롱뇽 한 마리가 못에 찔려 움직이지 못하고 있는 것을 발견했다. 그런데 그 도롱뇽은 살아 있었다. 어떻게 이런 일이 있을 수 있는가?

그래서 파충류학자들이 숨어서 그것을 관찰했다. 밤이 이슥해지자 다친 도롱뇽의 친구들이 찾아왔다. 한 녀석은 입에 물을 물고 와 먹여주고, 다른 한 녀석은 먹이를 물고 와 먹여주고, 다른 한 녀석은 상처를 핥아주고 돌아갔다. 내가 직접 본 것이 아니고 들은 이야기지만, 그 친구가 꾸며서 얘기할 사람은 아니다.

거듭 말하지만, 인간이 짐승보다 나을 것이 없다. 그런 무리 가운데에는 믿음을 가졌다는 인간들이 더 많았다. 구세 신앙은 구원과 영생과 부활을 믿으면 그만이지 인성을 고결하게 해주지는 않는다. 그것은 부모와 담임 선생님 또는 교수와 책의 몫이지 종교가 아니다. 인격과 교양을 갖추려면 종교 집단을 찾아가지 말고 딴 데 가서 알아보라는 신부님의 말이 귀에 거슬리지만, 그게 현실이다.

내가 밤마다 병이 낫기를 기도하는 환자 가운데 하나는 내가 죽기를 기도하는 장로의 딸이다.

악인들

장의사가 사람이 죽기를 기다리는 것은 그가 나쁜 사람이어서가 아니라 그것이 생업이기 때문이다.

화구(禍口)

내 일생에서 실수의 절반 이상은 말[舌]이었다. 그러니 내 인생의 후회의 절반도 말인 셈이다. 말실수는 할 말을 안 한 것이 아니라 안 할 말을 한 것이다. 그러므로 노자(老子)께서 이렇게 말씀하셨다.

"재앙은 입으로부터 나온다."

"말이 많으면 궁지에 빠지는 일이 많으니 가슴에 묻어 두느니만 못하다." (『노자 도덕경』 제5장 : "多言數(삭)窮 不如守中")

대부분의 정치인은 혀[말실수]와 정적의 배신과 탐욕으로 죽는다. 반국가 혐의[반역죄]로 죽는 사람은 그리 흔치 않다.

암(癌) 이야기

왜 우리 몸에서 심장만이 암에 걸리지 않지? 그것은 심장에 따뜻한 사랑이 담겨 있기 때문이 아닐까? 암세포는 열에 약하다. 냉랭한 곳일수록 암세포가 서식하기에 좋다.

"암에는 입구 자(口)가 세 개나 들어 있다. 암은 결국 인간이 입으로 지은 악업의 결과이다."(나의 은사 趙在瓘 교수의 유언에서, 1980)

섬 출신의 정치인이 많다

섬이나 바닷가 출신들 가운데 뛰어난 정치가가 많다. 그 거친 바다와 망망한 대해를 바라보며 야망과 꿈과 담대함을 키웠기 때문이다. 나폴레옹(B. Napoleon), 김대중(金大中), 김영삼(金泳三), 조봉암(曺奉岩) 등.

오래 전에 읽은 「7월의 바다에서」라는 단편을 다시 보고 싶은데 찾을 길이 없다. 필자가 주요섭(朱耀燮)이었던가, 심훈(沈熏)이었던가도 기억이 가물가물하다. 플루타르코스의 말에 따르면, 바닷가 사람들이 민주적이고, 농경 사회의 지도자들이 전제적이라고 한다.(『플루타르코스영웅전』「테미스토클레스전」§ 19)

빼앗긴 들에도 봄은 오는가?

이상화(李相和)

지금은 남의 땅 - 빼앗긴 들에도 봄은 오는가?

나는 온몸에 햇살을 받고
푸른 하늘 푸른 들이 맞붙은 곳으로
가르마 같은 논길을 따라 꿈속을 가듯 걸어만 간다.

입술을 다문 하늘아, 들아
내 맘에는 나 혼자 온 것 같지를 않구나
네가 끌었느냐 누가 부르더냐? 답답워라 말을 해다오

바람은 내 귀에 속삭이며
한 자국도 섰지 마라 옷자락을 흔들고
종다리는 울타리 너머 아씨같이 구름 뒤에서 반갑다 웃네

고맙게 잘 자란 보리밭아
간밤 자정이 넘어 내리던 고운 비로
너는 삼단 같은 머리를 감았구나, 내 머리조차 가뿐하다

혼자라도 기쁘게 나가자
마른 논을 안고 도는 착한 도랑이
젖먹이 달래는 노래를 하고 제 혼자 어깨춤만 추고 가네
나비 제비야 깝치지 마라
맨드라미 들마꽃에도 인사를 해야지
아주까리 기름을 바른 이가 지심 매던 그 들이라
다 보고 싶다

내 손에 호미를 쥐어다오.
살진 젖가슴과 같은 부드러운 이 흙을
팔목이 시도록 밟아도 보고 좋은 땀조차 흘리고 싶다

강가에 나온 아이와 같이
짬도 모르고 끝도 없이 닫는 내 혼아
무엇을 찾느냐 어디로 가느냐 웃어웁다 답을 하려무나

나는 온몸에 풋내를 띠고
푸른 웃음 푸른 설움이 어우러진 사이로
다리를 절며 하루를 걷는다 아마도 봄 신령이 지폈나 보다

그러나 지금은 - 들을 빼앗겨 봄조차 빼앗기겠네

이상화 시인

입이 무거워야 한다

『구약성경』「집회서」 8 : 17에 이런 말이 나온다.
"어리석은 사람과 상의하지 마라.
그가 온 동네에 소문을 내기 때문이다."

『한시 외전』(『韓詩 外傳』, 卷四)에 이런 말이 있다.
(문지기처럼) "묻는 말투가 건방지면 대답하지 말고,
대답하는 태도가 무례하면 더 이상 묻지 말고,
처음부터 싸울 듯이 대드는 사람과는 말을 섞지 말라"
(門者不告 告者不問 有諍氣勿與論)

어리석은 사람과 상의하지 말아야 하는 이유가 어리석은 대답을 들을지 모른다는 헛됨 때문이 아니라, 구설에 오를까 두렵다는 예언자의 말씀이 예사롭지 않다. 인생을 살다 보면 윗사람을 모실 일이 많다. 그때 아랫사람의 미덕은 충성과 근면이 아니라 "입이 무거운 것"이다. 대부분의 인생 몰락은 그 자신이나 아랫사람의 입 때문이다.

맥아더(D.MacArthur) 가문의 가훈은 "입이 무거워야 한다"(Never to tattle) 였다.

현자와의 싸움보다 소인과의 싸움이 어렵다

아무리 군자라 하더라도 일생을 살면서 다투지 않을 수 없고 적이 없을 수 없다. 그런데 세상에서 가장 무서운 적은 소인배이다. 그들은 끝까지 가며, 밑바닥까지 봐야 복수가 끝나는 것으로 안다. 비열함이 짐승보다 더하다. 막무가내로 덤벼들기 때문에 어찌 상대해볼 수도 없다. 그들은 잃을 것도 없고 부끄러워할 것도 없다. 대인은 멈출 곳을 안다. 그러나 소인은 참으로 겁나는 존재이다. 자리를 비키거나 말을 섞지 않는 수밖에 없다.

등소평(鄧小平)의 인물 보는 법

어느 날 등소평이 고위 간부를 면접하는데 매우 유능하고 결함이 없는 젊은이가 응모했다. 그러나 그는 낙방했다. 주위에서 등소평에게 그를 낙방시킨 이유를 묻자 그가 이렇게 대답했다.

등소평

213

"그가 교활(狡猾)함을 더 익힌 다음에 써야 하오."

그가 그런 말을 한 것은 그 젊은이가 더 교활해져야 한다는 뜻이 아니라, 그가 세상에 나갔을 때 교활한 인간 앞에 무너지지 않는 지혜를 갖추어야 한다는 뜻이었을 것이다.

배신은 한 번 겪는 것으로 충분하다

한 사람에게 두 번 배신을 겪은 사람은 군자가 아니라 어리석은 사람이다. 한 사람에게 두 번 속은 사람도 마찬가지이다. 인간은 그리 도덕적이지 않고 그리 선량하지도 않다. 그래서 군자보다는 현자가 더 소중하다. 회개하지 않는 악인을 일곱 번씩 일흔 번 용서해준다면(「마태오복음」 18 : 22) 이 사회는 악행의 천지가 될 것이다. 용서하지 말았어야 할 악인을 용서한 것은 무고한 백성을 처벌한 것보다 결과가 참혹하다.

그리고 한 번 배신한 사람은 두 번째 배신에 가책을 느끼지 않는다.(『플루타르코스영웅전』 「막시무스 화비우스」 § 22) 이를 죄의식 체감의 법칙이라 할 수 있다. 그리고 남을 배신하는 사람은 사실은 자신을 먼저 배신한 사람이다.

법조인

법조인들은 무고한 죄인을 투옥할 때보다 잡아넣어야 할 정치범이나 경제범, 또는 특권층의 파렴치범들을 잡아넣지 않고 오히려 그들과 골프를 치고 술을 얻어먹을 때 더 많은 죄를 짓는다.

복수심

나는 이제까지 살아오면서 원통한 일을 많이 겪었다. 가난한 소작농의 아들이 겪어야 했던 업보였다. 어느 해인가 중학교 시절에 급장인 내가 부교재를 사지 않으니까 다른 학생들도 사지 않았다. 그 영어 선생은 기말 시험 때 커닝했다고 죄를 덮어씌워 나를 골마루 바닥에 쓰러트리고 구두로 짓밟았다. 그를 생각할 때면 나는 수없이 살의를 느꼈다. 어린 소견에 한국전쟁이 다시 일어나기를 바랐다.

"그때는 총을 한 자루 구해야지……."

그 복수심은 오래 앙금처럼 내 마음을 갉아먹었다. 언제인가 광릉 봉선사(奉先寺) 밀운(密耘) 스님에게 그 아픈 심정을 고백했다. 그랬더니 큰스님께서 이렇게 말씀하셨다.

"전생에 신 교수가 그 영어 선생에게 악업을 지었기 때문일 것이오. 그러니 잊고 용서하시오."

그러나 그 법문이 나에게 큰 위로가 되지 않았다.

그 뒤로 나이가 들면서 나는 스티브 맥퀸(Steve McQueen)과 칼 말 덴(Karl Malden)이 주연한 〈네바다 스미스〉(Nevada Smith, 1966)를 회상할 때가 많았다. 그리고 용서하려고 많이 노력했다. 아니, 차라리 잊으려고 노력했다는 말이 맞을 것이다. 그러나 그들을 어찌 잊

영화 〈네바다 스미스〉

을 수 있겠는가? 나는 성현이 아
니다.

스티브 맥퀸이 주연했던 〈네
바다 스미스〉는 인간의 복수심이
얼마나 무서운가를 다룬 영화이
다. 인디언 혼혈로 태어난 그는
어려서 네 명의 강도에게 부모와
동생을 잃는다. 그는 좋은 총잡
이 선생을 만나 명사수가 된 다
음 복수의 길에 나선다.

천신만고를 겪으며 차례로 원
수 세 명을 처치한 그는 마지막으로 네 번째의 인물, 곧 두목 칼 말
덴의 부하로 들어가 복수의 기회를 기다린다. 그러나 맥퀸은 그 마
지막 순간에 한 신부(神父)의 설득에 감화되어 차마 두목을 죽이지
못하고 총을 버린 채 돌아선다. 그의 뒤로는 "나를 죽여라."라는 두
목의 외침이 들려온다. 그리고 영화는 막을 내린다.

몇 년이 흘러 내가 대학원장의 보직을 맡고 있을 때, 그 영어 교사
가 나를 찾아왔다. 그때 일을 후회하고 사과하러 왔나?

안부 인사를 마치고 저녁을 먹으러 갔다. 그제야 그 영어 선생은
나를 찾아온 연유를 설명했다. 지금 자기는 어느 전문대학에 교수로
있는데, 보직이라도 맡으려면 박사학위가 필요하니 우리 대학교의
대학원에 입학하도록 도와달라는 것이었다. 그러고는 무릎을 꿇고
술을 따르면서 말했다.

"신 박사님만 믿습니다."

나는 술잔을 받으며 천장을 쳐다보았다. 눈물이 흐를 것 같았다. 만감이 스쳐 갔다. 식당을 나오며 나는 하늘을 향하여 중얼거렸다.

"복수는 이것으로 충분하다."

천수(天壽)

『구약성경』「창세기」6 : 3에 따르면 인간의 천수는 120세이다. 평범하게 살면 70세까지 살고 80세를 살면 장수한 셈이다.(「시편」 90 : 10) 이것이 종교이자 신화시대의 이야기라 하더라도, 과학적으로 판단해 보아도 거의 맞는 것 같다. 통계에 따르면, 한국인의 기대수명은 2020년 현재 여자가 86.5세이며, 남자가 80.5세이다. 그렇다면 창조주께서 약속하신 천수에 견주어 40년이 모자란다.

이를 어떻게 해석해야 하나? 나는 인간이 여생의 40년을 자살하여 감수(減壽)했다고 생각한다. 스스로 선택한 과음, 과식, 과색(過色), 과욕, 과로, 과민, 흡연으로 스스로 수명을 단축한 것이다.

내가 본 세계 10대 여행지

사람들이 세상을 떠날 때 "이제까지 살아오는 동안에 가장 추억에 남는 것이 무엇이냐?"고 물으면, 대체로 여행의 기억을 말한다. 여행은 가슴 떨릴 때 가는 것이지 다리 떨릴 때 가는 것이 아니다. 우리

시대에는 대전(大田)에 갈 일만 있어도 전날 밤을 설쳤다.

4대 독자로 태어난 나는 소풍을 빠지는 일이 많았다. 그 시대의 소풍은 절 아니면 강가였다. 강가로 소풍을 가는 날이면, "어딜 외아들이 물가에 가느냐?"고 부모님의 야단을 맞아, 학교에 가서 몸이 아파 소풍을 갈 수 없다고 거짓말을 하고 돌아왔다. 조퇴를 할망정 결석을 해서는 안 되니까. 집 근처에 있는 그 유명하다는 수안보(水安堡)를 가 본 것은 성인이 된 뒤였다. 충청도 사람들 사이에는 외아들이 윤년에 온천을 가면 안 된다는 속설이 있다.

그런 삶은 부모 밑에 살 적에야 먹혀들어 갔지만, 막상 어른이 되어 세상에 던져지니 그와 같은 과보호로 살기가 무척 어려웠다. 신혼 시절, 병원에 가야 하는데, 아내에게 함께 가자고 했더니 기가 차는지 멀거니 쳐다보다가 데려갔다. 나 혼자 병원에 간 것은 중년이 넘어서였다.

나는 남은 일생을 그렇게 살 수 없다는 생각이 들어 우선 국내 여행을 시작했다. 그러나 그것은 너무 늦은 나이였다. 나는 중년이 넘어 방학이 되면 친구들과 함께 전국의 사찰 답사를 다녔다. 20년쯤 다녔으니, 한국의 명산대찰치고 동래(東萊) 범어사(梵魚寺) 빼고는 거의 다 가 본 것 같다. 범어사를 못 간 것은 밤중에 길을 잃은 탓이었다. 그 뒤 취미가 붙으니, 명산대찰의 명필 현판 앞에만 서면 세상 시름을 잊곤 한다.

내가 본 세계 여행이 오죽하랴만, 다음의 명승지가 기억에 남는다. 못 본 곳이 더 많을 테지만······.

1) 네바다주(Nevada)의 소금 사막 : 원래 바다였던 네바다주는 해발이 -70m이다. 물밑이 융기하여 육지가 되면서 바닷물이 암염(巖鹽)이 되었고, 그것이 다시 소금 사막이 된 것이다. 그렇게 되기까지에는 50만 년이 흘렀다. 나는 그 앞에 서서 100년도 못 살면서 왜 그리 아옹다옹했던가를 생각했다.

2) 피라미드 앞에서의 망연자실함 : 나는 나폴레옹(Napoleon)이 서서 바라보았다는 그곳에 서서 스핑크스와 피라미드를 바라보았다. 4500년 전에 이뤄졌다는 문명의 막장 앞에서 나는 역사의 유장(悠長)함을 생각했다.

3) 고비 사막의 유성(流星) : 이곳에서는 말소리가 가깝고 별이 손에 잡힐 듯하다. 적막강산이 불편한 것만은 아니었다. 나는 문명이 곧 행복한 것만은 아니라고 생각했다.

4) 백두산 천지의 부슬비 : 나는 이곳에서 하늘을 우러러 울었다. 그리고 이 조국의 단장(斷腸)을 슬퍼했다. 안내원의 말에 따르면, 천지는 아무에게나 자신을 보여주지 않는다고 한다.

5) 한라산의 설화(雪花) : 나는 폭설이 내린 한라산 1,200m 고지에서 어린아이처럼 즐거워한 적이 있다. 이 좁은 강산에 아열대와 이런 설경이 함께 있다는 것이 행복했다.

6) 캔쿤(Cancun)의 쪽빛 바다 : 정년 퇴직을 하자 40년 동안 처자식 벌어먹이느라고 고생했다며 아내가 남미 여행을 시켜주었다. 멕시코 유카탄 반도에 자리 잡은 이 마야(Maya)의 유적지에서 프리다 칼로(Frida Carlo)의 그림을 보며 가족과 보낸 3일은 내 생애에서 가장 행복한 순간이었다.

유카탄 반도 캔쿤에서. 내 아내는 웃는 입이 아름답다.

7) 바르셀로나의 피카소 박물관과 안토니 가우디(Antoni Gaudi)의
유적 : 나는 가우디가 성당을 지으려고 고민하며 걷다가 전차에 치
여 죽은 자리에 서서 예술혼이란 무엇인가를 생각했다. 1883년에 짓
기 시작한 그 성당은 아직도 준공되지 않았다. 그리고 완공되기도 전
에 세계문화유산으로 등재되었다. 내가 그곳에 들른 것이 1986년이
었다.

가우디와 성 가족 성당

8) 바이칼호의 물안개와 자작나무 숲, 그리고 이르쿠츠크의 데카브리스트(Decabrist, 12월혁명당) 박물관 : 나는 볼콘스키(Sergei Volkonsky : 1788~1865) 백작의 생애를 돌아보며 젊은 날의 사랑과 야망, 그리고 조국이 무엇인지를 생각했다. 나는 아내에게 당신도 유배된 나를 찾아 페테르부르크에서 이르쿠츠크를 걸어서

볼콘스키 백작

찾아올 수 있느냐고 물은 적이 있는데, 아직 그 대답을 못 들었다.

9) 미국 미네소타주 세인트 폴 남쪽에 있는 고서점 도시 스틸워터(Still Water)의 강변 커피숍 : 정년 퇴직을 기념하여 아내가 데려가 준 여행이었는데 내 생애에 가장 아늑한 시간이었다. 그곳 서점 주인들은 그냥 책이 좋고 마을이 좋아서 그곳에 산다. 미국 동네 서점의 주인 70%가 서점 수입으로 살지 않는다.

스틸워터의 골동품 상회

10) 일본 교토(京都) 북쪽의 히에이산과 비와호(琵琶湖)를 끼고 있는 천하 절경의 세계문화유산 엔랴쿠지(延曆寺) : 불법(佛法)을 얻으

려 황해와 신라방(新羅坊)에서 10년의 세월을 보낸 엔닌(圓仁) 스님
과 장보고(張保皐)의 흔적을 만났을 때의 기쁨을 잊을 수 없다.

히에이산 전철역에는 이렇게 쓰여 있다.

"히에이산에 눈이 내리면 눈에 젖고,
비와호에 바람이 불면 바람에 젖으리라."

엔랴쿠지에 들어서면 한글로 이렇게
쓰여 있다.

"산이라고 다 산이더냐,
오직 히에이산만이 산인 것을."

엔랴쿠지의 장보고 기념비

세상은 모두 한국만큼 아름답다. 삼천리 금수강산이라고 자랑할
것이 없다.

기왕에 절경 열 곳을 언급했으니 내가 겪은 최악의 여행지 열 곳
을 꼽으라면,

1) 가림막도 없이 남녀가 마주 보며 일을 보는 길림(吉林)의 화장실.
서로 마주 보고 두런두런 얘기도 나눈다.

2) 시속 20km로 7시간을 달려 카라코룸으로 가던 몽골의 황톳길.

3) 오를 수도, 내릴 수도 없는 염천에 냉방이 되지 않아 환풍기 구
멍에 손이라도 시원하도록 내놓고 달리다가 더위에 죽을 뻔한 시베
리아횡단철도.

4) 타이베이의 빈민굴 식당에서 먹은 점심 : 순대처럼 생긴 비닐론 주머니에 밥과 소금과 설탕을 버무려 넣어 쥐어짜며 먹었다.

5) 자동차에 무리가 온다고 에어컨도 틀지 못하고, 모래바람 때문에 차창을 열지도 못하고 달린 미국 서부 죽음의 계곡(Death Valley)의 열사(熱沙).

6) 앙코르와트 사원 층계 밑에서 죽어가던 걸인 소녀.

7) 상하(常夏)의 멕시코에서 여름옷을 입고 일을 마친 다음 미국의 시카고에 도착하여 엄동설한에 만난 미시간호의 눈 폭풍.

8) 미시시피 강변에서 만난 한국산 깨진 소주병.

9) 군용 담요를 뚫는다는 한국 선○도의 모기떼.

10) 집시 소매치기들이 5분마다 달려드는 벨기에의 브뤼셀 광장.

장강(長江)의 밑물은 고요히 흐른다

안개 낀 바이칼호의 모습은 참으로 장엄하다. 이 호수에는 여러 곳에서 강물이 흘러들어 셀렝가강(Selenga River)을 거쳐 남쪽으로 빠져나간다. 세계서 가장 깊고 또 청정하다. 이 강에 흘러 들어온 물이 셀렝가강을 통하여 빠져나가는 데는 250년이 걸린다. 그렇다고 해서 고인 물이 아니다. 물밑으로 조용히 흐를 뿐이다.

강 이야기를 하자면 워싱턴의 포토맥강을 잊을 수 없다. 워싱턴 D.C.의 National Airport는 도심에 자리 잡고 있기 때문에 비행기의 이착륙 때 소음이 진동한다. 그래서 찾아낸 방안이 포토맥강을 따라 뜨고 내린다. 내릴 때야 그리 소음이 대단하지 않지만 이륙할

바이칼호의 물안개

때면 아침잠을 깬다. 내가 사는 아파트가 그 강변에 있었다.

고향이 그립고 어린 자식들이 그리운 판에 고국으로 날아간다고 여겨지는 엔진 소리를 들으면 가슴이 저려오는데 40년이 지난 지금도 그 증세가 남아 있어 눈뜰 때는 뭔가 그립고 우울하고 가슴이 저려온다.

일본의 어느 여학생 기숙사에는 잠들기 전에 유리 두 쪽을 비벼 뽀드득 소리를 내며 잠드는 아이가 있었다. 같은 방을 쓰는 룸 메이트는 그 소리가 견딜 수 없어 사감에게 고충을 호소했다.

사감이 유리를 비비는 학생을 불러 그 연유를 물었더니, 그 여학생은 북쪽 어느 추운 마을의 호숫가에 살았는데 겨울이면 호수에서 얼음이 얼고 녹을 때 들리는 소리가 추억처럼 떠올라 잠이 오지 않았고 그래서 잠들 때면 유리를 비빈다고 대답했다. 나는 그 일본 여학생의 이야기를 자주 회상했다.

봄이 되면 포토맥 강변에서 벚꽃 축제(Cherry Blossom Festival)가 열린다. 일본인들이 국가적 사업으로 이룩한 명소이다. 이때 유학생

조지타운대학교와 포토맥강
건너편에 높은 것이 워싱턴대성당이다. 내 젊은 날의 꿈과 눈물이 저 창살에 묻어 있다.

들은 싼값에 회를 먹을 수 있다. 그런데 포토맥의 횟집은 좀 특이하다. 왜냐하면 하상(河床)의 물은 바닷물이고, 강 위의 물은 민물이어서 낚싯줄의 길이에 따라 바다 생선이 잡히기도 하고 민물고기가 잡히기도 하기 때문이다.

그래서 포토맥 강물은 아래는 고요히 흐르고 윗물은 격랑을 이루며 흘러간다. 결국 이 글에서 내가 하고자 하는 말인즉, 장강의 밑물은 고요히 흐르더라는 것이다. 나는 포토맥 강물을 바라보며 그 말을 많이 생각했다. 미국 사람들은 이를 이렇게 표현한다.

"Still waters run deep."

왜 장강의 밑물은 고요한가? 이 현상은 자연 현상으로 끝나고 마는 일일까? 아니다. 인생도 그럴 것이다.

극한 상황

오래전에 어느 여성 산악인이 태백산맥을 종주하는데 너무 힘들고 짐이 무거워 칫솔의 자루를 분질러 손잡이 부분을 버렸다는 글을 읽었다. 얼마나 고통스러웠으면 무게 5g도 안 되는 칫솔 자루를 분질러 버렸을까?

나는 젊어서 무슨 객기가 뻗쳤는지, 기독교대한복음교회 청년회와 더불어 강원도 강릉에서 출발하여 경상북도 영주(榮州) 부석사(浮石寺)까지 도보 여행을 감행했다. 아침에 일찍 일어나 걷고, 날이 뜨거우면 바닷가에서 해수욕을 즐기다가 해거름에 다시 걸었다. 너무 뜨거운 날은 가끔 완행버스를 탔다. 모두 1주일은 걸린 것 같다.

불영계곡. 사진 울진군청 제공

경북 울진의 불영계곡(佛影溪谷)에 이르렀을 때는 이 절경을 버스

타고 볼 수는 없다고 다짐하고 입구에서부터 비포장 계곡을 걸었다. 20km는 족히 넘는 것 같았다. 행군 막바지이니 기운은 모두 소진되고 죽을 것만 같았다. 더구나 마지막 코스는 비탈이었다.

젊은 학생들은 계속 가고 나는 황톳길 위에 엎어졌다. 깊은 잠에서 깨어나 다시 걸었더니 불영사(佛影寺)로 가는 비탈의 정상이 30m가 채 되지 않았다. 그걸 못 이기고 길에 엎어진 것이다. 나는 가끔 극한 상황을 겪을 때면 그 마지막 30m의 고갯길을 생각한다.

불영계곡이 아름답다는 말을 듣고 내 아들이 다녀오더니 별것도 아닌 것을 가지고 부풀렸다고 투덜거렸다. 하기사 내가 본 것은 비포장 시절의 오솔길이었고 그가 본 것은 아스팔트 길이었으니 다를 수밖에 없었을 것이다.

기왕에 세계의 명승지를 소개했으니, 우리나라에 보편적으로 알려진 대한팔경(大韓八景)을 동해안부터 소개하면 다음과 같다. 다리에 힘 빠지기 전에 꼭 가 보시라.

1) 설악산의 사계절(雪嶽四季)

2) 불영사로 가는 계곡(佛影溪流)

3) 주왕산의 기암괴석(周王奇巖)

4) 한려수도의 물그림자(閑麗水影)

5) 제주도 성산포의 일출(城山日出)

6) 지리산 정상에서 보는 운해(智異雲海)

7) 홍도에서 보는 낙조(紅島落照)

8) 내장산의 단풍(內藏丹楓)

"부안(扶安)을 아세요?"

어사 박문수(朴文秀)가 조선 팔도를 돌아보고 왕[英祖]을 뵈니 왕이
물었다.

"그대가 보기에는 조선 팔도에서 어디가 가장 살기 좋은 땅입디까?"

박문수가 아뢰었다.

"전라도 부안(扶安)입니다."

"왜 그렇소?"

박문수가 대답했다.

"그곳에는 해산물이 풍부하여 잡은 물고기는 주인이 따로 없이 서
로 나누어 먹고, 농토가 비옥하여 굶는 사람이 없으며, 풍광이 수려
하고 사람들의 마음씨도 어질고 넉넉하여 다툼이 없어, 부모님을 모
시기에 좋습니다."

문득 채석강(彩石江)과 내소사(來蘇寺), 격포(格浦)해수욕장, 그리
고 곰소의 어리굴젓이 그립다. 전두환(全斗煥) 대통령이 이곳 출신인
데 무슨 한(恨)이 그리 많기에 고향을 떠나 숨겼을까?

부안 채석강. 사진 부안군청 제공

10월의 무창포

이정은

무창포 바닷가 한밤
아스라이 불빛들이 가늘게 졸고 있다.
저들 희미한 불빛 위로 어둠이 무겁게 뒤덮었고,
아래로 저 불빛은 겨우 몇 걸음 앞을 밝힐 뿐이다.
낮에 공중에 휘돌던 힘찬 갈매기들과 구름과 바람,
창공의 푸른 빛은 어디 가고 검은 침묵에 빠져 있는가
빛나던 백사장을 흰 잇발 드러내 웃으며
쉴새없이 닦아내던 파도들은 또 어디 갔는가
다만 아득하고 깜깜한 먹빛 어둠 속에서
낮의 빛나던 기억은 겨우 꿈으로나 만날 수 있다.
그리고 어둠의 압제하에서
만물은 자라지 못하고 숨죽이고 있다.
그래도 밤은 있어야지
아침 빛은 어둠 속에서만 익어가니까 (2023. 9. 30.)

남자의 삼대 불행

1) 소년 등과(登科)
2) 중년 상처(喪妻)
3) 노년 무전(無錢)

은메달보다 동메달이 더 기쁘다

올림픽의 메달리스트들은 은메달이 동메달보다 더 서운하단다. 동메달이 은메달보다 더 기쁘단다. 왜 그럴까? 은메달은 메달을 딴 기쁨보다 금메달을 놓친 아쉬움이 더 크고, 동메달은 메달권에 들었다는 기쁨이 더 크기 때문이다. 욕심의 정도에 따라 행복감도 다르다.

도산(倒産)

율리우스 카이사르(Julius Caesar)는 이런 말을 했다.

"사람이 한평생을 살다 보면 무너질 수도 있다. 그러나 그것은 한 번으로 충분하다."(『플루타르코스영웅전』「알렉산드로스와 카이사르의 비교」 § 21)

어차피 도산할 사업이라면 막내가 초등학교에 들어가기 전에 망해야 한다.

모자(帽子)

나는 사시장철 모자를 쓴다. 멋을 부리고 싶어서가 아니라, 머리가 벗어진 것을 감추고 싶기도 하지만, 나의 유일한 사치인 버버리코트에는 〈카사블랑카(Casablanca)〉의 험프리 보가트(Humprey Bogart)처럼 검은 모자를 써야 못생긴 얼굴을 조금은 가릴 수 있기 때문이다.

동양 사람들은 인사를 차리려고 모자를 쓰지만, 서양 사람들은 인사를 차리려고 모자를 벗는다. 누가 옳은지는 정답이 없다. 분명한 것은 모자는 잘 쓸 때 멋이 있는 것이 아니라 잘 벗을 때 멋이 있다는 점이다.

영화 〈카사블랑카〉에서

때밀이 스승

1985년 2월, 내가 친구들과 설악산 관광을 마치고 돌아오는 길이었다. 진눈깨비가 내리는 날, 우리는 대관령을 넘어 비탈길을 내려오고 있었다. 운전기사가 마냥 조심했지만, 눈밭에 비탈의 내리막 커브 길은 위험하기 짝이 없었다. 그때 올라오던 대형 관광버스가 중앙선을 침범했다. 얼떨결에 우리 운전기사가 핸들을 돌리자 차가 전복되었다.

몇 바퀴를 굴렀는지, 정신이 들어 눈을 뜨니 나와 친구들이 눈밭에 누워 있었다. 내리막길인데 오른쪽은 낭떠러지였다. 몇 친구는 혼절해 있었다. 그것을 보고서도 고속버스는 그냥 지나갔다. 지나가던 "착한 사마리아인"이 우리를 원주 어느 종합병원까지 호송해주어 응급 처치를 받고 겨우 서울로 올라왔다.

서울 종합병원에서 검진하니 왼쪽 손등의 뼈 세 개가 부러졌고, 인대가 끊어졌다. 나를 알 만한 사람들도 모르는 일인데, 실은 그때 나는 왼손 불구자가 되었다. 나는 그해 7월에 미국 유학으로 출국이 예정되어 있어 제대로 치료받을 겨를이 없었다.

몇 주가 지나 깁스를 풀고 처음으로 대중탕에 갔다. 몸에 때가 덕지덕지했다. 본디 나는 목욕탕에서 때를 밀지 않는다. 언제부터 우리가 그렇게 로마 귀족의 흉내를 내며 살았나 하는 혐오감 때문이었다. 그러나 왼손을 쓰지 못하니 어쩌랴.

나는 할 수 없이 '때밀이'(이 용어가 나는 참 싫다. 그러나 다른 용어가 없어 이 용어를 쓸 수밖에 없으니 이 업종에 종사하는 분들은 양해해 주시길 빈다.)에게 부탁했다. 침상에 누워 내가 때밀이 청년에게 말했다.

"왼손을 다쳐 때가 많으니 왼손 좀 잘 닦아주세요."

그랬더니 그가 나를 내려다보며 무심히 말했다.

"이곳이 경찰병원[왕십리] 부근이어서 교통 사고 환자들이 많이 옵니다. 오시는 분마다 왼손을 다쳤으니 왼손을 잘 밀어달라는 말씀들을 하십니다. 그런데 실상 왼손을 다친 분들에게는 오른손에 때가 더 많거든요. 인생이라는 게 참 이상하지요?"

나는 정신이 번쩍 들었다. 올려다보니 내 위에서 나를 내려다보는 사람은 때밀이가 아니라 문수보살(文殊菩薩)이었다. 나는 속으로 탄식했다.

"오늘은 여기서 내가 부처를 만나는구나. 내가 명색이 대학 교수라 하지만 깨달음이라는 면에서 나는 아직 멀었구나……."

그리고 나는 부부의 허물을 생각했다. 아내가 부덕하면 남편의 허물이 되고, 남편이 인색하면 아내의 흉이 된다.

지금은 대중탕도 점차 없어지고 때밀이라는 직업도 없어져 가고 있다. 허름하니 우뚝 선 벽돌 굴뚝의 목욕탕 글씨를 볼 때면 나는 그 청년을 회상한다. 지금쯤 잘살고 있어야 할 텐데….

내 아내로 말하자면....

내 아내는 오만 가지 재주를 타고났다. 사막에 가서 밍크코트 팔 여자이다. 음식, 바느질, 뜨개, 화훼, 피아노, 그림 등 여자가 할 수 있는 손재주를 모두 타고 났다. 그런데 그 모든 것을 69점 정도 한다. 속 모르는 남자들은 재원(才媛)이라고 말하지만, 여자로 태어났기에 망정이지 남자로 태어났더라면 처자식 굶기기에 딱 맞을 사람이다. 열 가지를 69점 맞는 것은 한 가지를 95점 맞는 것보다 삶에 도움이 되지 않는다. 내가 지금 아내를 자랑하는 팔불출인지 아니면, 아내에게 또 구박받을 소리를 하고 있는 건지 …. 나도 모르겠다.

05

종교에 관한 이런저런 이야기

대림절(待臨節)

천주교에서 크리스마스 이전의 4주간을 대림절(待臨節)이라 한다. 영어로는 Advent라 한다. 대림절은 크리스마스에 앞서 4주간에 예수의 성탄을 기다리는 교회력의 절기이다. 대림 시기, 대강절(待降節), 강림절로도 불린다. 어원은 오다(Adventus)라는 뜻의 라틴어에서 유래하였다.

교회력은 대림절로 시작하기 때문에, 한 해의 시작을 알리는 뜻도 있다. 대림절에 사용하는 예전(禮典)의 색깔은 기다림을 뜻하는 보라색이며, 대림 제1주일은 11월 27일~12월 3일 사이의 주일(일요일)이다. 그런데 참으로 알 수 없는 것은 영어의 adventure의 어원이 advent라는 것이다. "기다림"이 왜 "모험"과 어원이 같을까?

원효 대사(元曉大師)

원효 대사

내 고향 괴산(槐山)의 군자산(君子山)은 원효 대사(元曉大師)가 수행하던 곳이어서 그의 일화가 여럿 구전되고 있다. 원효굴(元曉窟)도 있고, 원효사(元曉寺)도 있다.

어느 날 원효 스님이 상좌와 길을 걷다가 개울을 만났다. 마침 장마철이라 물이 불어 건너기가 어려웠다. 옷을 입고 건너자니 물이 깊어 옷이 젖을 지경이었고, 옷을 벗고 건너기엔 그리 깊지 않았다. 그런데 원효는 서슴없이 옷을 벗더니 아랫도리를 다 드러내고 물을 건너려 했다.

마침 그때 옆에는 젊은 여인이 난감하게 서 있었다. 원효는 주저 없이 그 아낙을 둘러업고 물을 건넜다. 개울 저편에 이른 원효는 아무 일도 없었다는 듯이 길을 걸었다. 이때 따라오던 상좌가 얼마를 가다가 원효에게 말씀을 드렸다.

"스님, 이제 저는 스님의 곁을 떠나렵니다."

"왜 그런 생각을 했느냐?"

"출가한 스님이 벌거벗은 몸으로 젊은 여인을 업고 내를 건넜으니 계율에 어긋난다고 생각하기 때문입니다."

이 말을 들은 원효가 상좌에게 이렇게 말했다.

"너는 지금까지 그 여인을 업고 여기까지 왔단 말이냐?"

여기에서 원효가 버리기를 바라는 것은 번뇌이다. 깨달음에 이르려 면 해야 할 첫 번째 과업이 번뇌를 끊는 것이다.[斷德正因] 원효가 생각 하기에, "악업은 허망한 마음으로부터 나온다."(『遊心安樂道』) 그것은 망상일 수도 있고 분심(分心)일 수도 있고 걱정거리일 수도 있다.

절에 가면 심검당 (尋劍堂)이란 별채 건 물이 있다. "칼을 찾 는 곳"이라는 뜻이다. 스님이 칼을 찾아서 어디에 쓰시려나? 마 곡사(麻谷寺)의 한 비 구니가 나에게 이렇게

삼척 영은사의 심검당
해강(海岡) 김규진(金圭鎭)의 글씨

말했다.

"마음의 번뇌를 끊으려고요."

인간이 이러한 번뇌로부터 얼마나 괴로움을 겪는가 하는 문제는 부처로부터 원효를 지나 오늘에 이르기까지 끊임없이 제기되는 문제였다.

인간의 번민이나 걱정거리 가운데서 85%는 실제로 일어나지 않았다는 연구 결과*는 인간의 번뇌가 얼마나 부질없는 것인가를 잘 보여주고 있다.

* Stephanie Dolgoff, "Life Is Good. So Why Can't You Stop Worrying?" in *Self* (November 28, 2007)

하늘과 땅

왜 예수님은 운명하면서 하늘을 바라보고, 부처님은 땅을 굽어보고 있을까?

전교(傳敎)는 몸으로 하는 것

내 친구 가운데 군문(軍門)에 들어가 한 조직의 최고지휘관에 오른 사람이 있다. 거기까지 오르는 데에는 각고의 노력과 인품과 중망과 베풂, 그리고 영도력 등, 남다른 데가 있었기 때문에 가능했을 것이다.

그가 어느 날 광주(光州)에 출장을 갔다. 그 일대의 높은 계급 달린 군인들이 이런저런 사유로 여럿 모였다. 저녁을 먹고 술 한잔 마시러 어느 품위 있는 술집으로 몰려갔다. 주흥이 오를 무렵 곁 자리에 점잖은 노신사들이 들어와 앉았다. 언행이 중후하고 대담하는 내용도 들을 만했다. 그래서 그 친구가 비윗살 좋게 술병을 들고 가 어른들에게 술을 올리며 덕담을 했다.

그러자 저쪽 어른들도 술잔을 들고 와 답례했다. 그러는 사이에 뭐가 통했는지 자리를 합석하기로 했다. 서로 수인사를 나누는 차례가 되자 그 친구가 자기 이름을 대며 소개했다. 그러자 마주 앉은 노신사가 좀 멈칫거리며 자기 소개를 하지 않았다. 그래서 그 친구가 거듭 묻자 그 신사가 마지못해 자신을 소개했다.

"예, 저는 윤공희(尹恭熙)라고 합니다."

그런데 그 경을 칠 친구는 윤공희가 누구인지를 몰랐다. 그는 다소 으스대며 자기를 소개했다.

"저는 서울서 출장 내려온 국방부 ○○대장(隊長) 아무개라고 합니다. 선생님은 소싯적에 무슨 일을 하셨나요?"

그 친구는 그 노인이 퇴직한 교장 선생님쯤 되는 줄 알았단다. 노인은 다시 멈칫거리더니 자기를 소개했다.

"천주교 광주교구 대주교올시다."

그 친구는 술이 확 깨는 것 같았다. 그는 자리에서 벌떡 일어나 다시 인사를

윤공희 대주교
사진사는 저 그림자를 통해서 무슨 말을 하고 싶었을까?

드리고 어른을 못 알아뵌 무례의 용서를 빌었다. 그리고 이렇게 말했다.

"내일 올라가는 대로 저도 바로 이웃 성당에 가서 입교하겠습니다."

그리고 그는 서울로 올라와 그 약속을 지키고 지금까지 가족 모두가 착실하게 신앙 생활을 하고 있다.

자, 우리가 더듬어 생각해 보자. 그 자리에서 윤공희 대주교께서는 그 건방 떠는 친구에게 성당에 나가라느니, 예수 믿고 구원받으라느니 하는 말을 한마디도 하지 않았을 것이다. 그런데도 그 군인 친구는 그분의 언행에 감복하여 신앙인이 되었으니, 이것이 진정한 전교가 아니었을까? "믿음으로 실천을 보여주는 것이 아니라, 실천이 믿음을 보여주는 것이다."(『신약성경』「야고보서」2 : 17)

내가 세상을 다 돌아본 것은 아니지만, 전철에서 "예수 믿으시오.", "예수 천당, 불신 지옥"이라고 소리치며 전교하거나, 네거리에서 소음에 가깝게 확성기 틀어놓고 찬송가를 부르며 전교하는 나라는 한국밖에 없다. 그런 식으로 전교하는 것을 보고 교회를 찾아가는 사람이 몇이나 될까?

기독교를 국교로 여기지 않는 나라 가운데 세계에서 기독교 전교율이 가장 높은 곳이 한국이다. 새벽녘에 보이는 불빛은 대개 십자가이다. 그런데 왜 한국은 이렇게 타락하고 살기가 어려운가?

맹목적 광신이 오히려 죄가 되는 것을 나는 많이 보았다. 차라리 믿지 않았더라면 저런 죄를 짓지 않았을 텐데, 하는 근본주의자도 여럿 보았다. 그래서 나는 처신이 더욱 조심스럽다. 내가 반드시 묵주 반지를 끼고 다니는 것은 무슨 티를 내고자 함이 아니라 나 자신을 경계하려 함이다.

그대가 곁에 있어도 나는 그대가 그립다

류시화

물속에는
물만 있는 것이 아니다.
하늘에는
그 하늘만 있는 것이 아니다.
그리고 내 안에는
나만이 있는 그것이 아니다.

내 안에 있는 이여
내 안에서 나를 흔드는 이여
물처럼 하늘처럼 내 깊은 곳 흘러서
은밀한 내 꿈과 만나는 이여

그대가 곁에 있어도
나는 그대가 그립다.

회개의 눈물

왜 인간은 회개할 때 눈물을 흘릴까? 콧물이 날 수도 있고, 침을 흘릴 수도 있을 텐데……. 아마도 인간의 연민은 말보다 눈길에 더 깊이 스며 있기 때문이 아닐까?

사찰의 배롱나무

사찰에 가면 유독 배롱나무가 많다. 우리가 흔히 목백일홍이라 부르지만 정확한 이름은 아니다. 왜 사찰에는 배롱나무가 많은가? 그 이유는 간단하다. 배롱나무는 나목(裸木)이다. 곧 수피(樹皮)가 없다. 따라서 수행자는 욕심과 소유와 허위를 모두 벗어버리고 부모님이 주신 몸 그대로 깨끗이 살다 가라는 뜻이다.

배롱나무

배롱나무꽃

이런 기도문

일본 교토(京都)에서 학회를 마치고 어디로 관광을 갈까에 대하여 말이 무성했다. 나는 그 흔한 기요미츠테라(淸水寺)니 교토성(京都城)이니 금각사(金閣寺)니 하는 곳 말고 의미 있는 곳을 가자고 했다.

그때 누군가 그리 멀지 않은 고려 도공(陶工)들의 집성촌에 있는 신라신사(新羅神社, しらぎじんじゃ)를 가자고 했다. 그곳은 크지도 않고 화사하지도 않았다.

많은 발원문(發願文)이 걸려 있는데 그 가운데 하나가 내 발길을 멈추게 했다. 거기에는 이렇게 씌어 있었다.

"아침에는 희망에 눈뜨고,

낮에는 땀 흘려 일하고,

밤에는 감사하며 잠들 수 있기를."

朝は希望に起き

昼は努力に生き

夜は感謝に眠る

신라(新羅)신사(神社)

산라신사에 걸려있는 글씨

내 생애에 이토록 아름다운 기도를 일찍이 본 적이 없다. 아마 그의 삶이 정말로 그랬다면 그는 분명히 천국에 갔을 것이다. 얼마나 삶이 행복했으면 그런 기도를 했을까?

육조(六祖) 혜능(慧能)

초조(初祖) 달마(達磨)가 동쪽으로 와 소림사(少林寺)를 세운 뒤, 5조(祖) 홍인(弘忍)을 거쳐 6조를 뽑는데, 그 자질과 불심을 알고자 제자들에게 게송(偈頌)을 읊으라 했다. 수제자인 신수(神秀)가 먼저 시를 지어 바쳤다.

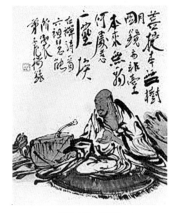

육조 혜능(慧能)

몸은 보리가 열리는 나무요
身是菩提樹(신시보리수)
마음은 명경을 거는 틀이니
心如明鏡臺(심여명경대)
부지런히 닦고 쓸면
時時勤拂拭(시시근불식)
때 끼고 먼지 앉는 일이 없으리라
勿使惹塵埃(물사야진애)

그 시를 들은 모든 도반(道伴)은 당연히 그가 스승의 대통을 이으

244

려니 여겼다.

시자(柴子 : 사찰에서 일하는 불목하니) 혜능이 옆 사람에게 다음과 같은 글을 불러주었다. 그는 글을 몰랐기 때문이다. 그의 글은 다음과 같다.

보리에는 본시 나무가 없었고

菩提本無樹(보리본무수)

명경 또한 틀이 아니다.

明鏡亦非臺(명경역비대)

본디 아무것도 없었는데

本來無一物(본래무일물)

어디에 때 끼고 먼지 앉으랴

何處惹塵埃(하처야진애)

이 글을 읽은 5조 홍인은 혜능에게 의발(衣鉢)을 물려주어 6조로 삼았다. 이에 반발한 신수와 그 무리가 혜능을 죽이려 하자 그는 은신했다. 이것이 남종선(南宗禪)의 시초이다. 그 뒤 혜능이 죽자 신수가 7조가 된다. (『육조단경』(六祖壇經)에서 옮긴 글)

* 본디 부처님의 말씀을 '경'(經)이라 하고 그의 제자들의 글을 '논'(論)이라 한다. 그런데 부처님의 가장 높은 제자였던 유마거사(維摩居士)는 사미(沙彌)가 아님에도 불구하고 그의 글을 『유마경』(維摩經)이라 부르고, 위에서 말한 육조 혜능의 언행록을 『육조단경』(六祖壇經)이라 부른다. 외람되지만, 내가 권고하는 "죽기 전에 읽어야 할 100권의 책" 가운데 두 권이다.

『산정 무한』(山情無限)

정비석(鄭飛石)

정비석의 『산정 무한』은 이렇게 끝난다.

　"태자의 몸으로 마의(麻衣)를 걸치고 스스로 험산(險山)에 들어
온 것은, 천년 사직을 망쳐 버린 비통을 한 몸에 짊어지려는 고행
이었으리라. 울며 소맷귀 부여잡는 낙랑공주(樂浪公主)의 섬섬옥
수(纖纖玉手)를 뿌리치고 돌아서 입산할 때, 대장부의 흉리(胸裏)
가 어떠했을까? 흥망이 재천(在天)이라. 천운을 슬퍼한들 무엇하
랴만, 사람에게는 스스로 신의가 있으니, 태자가 고행으로 창맹(蒼
氓)에게 베푸신 도타운 자혜(慈惠)가 천년 후에 따습다.
　천년 사직이 남가일몽(南柯一夢)이었고, 태자 가신 지 또 다시
천년이 지났으니, 유구한 영겁(永劫)으로 보면 천년도 수유(須臾)
던가! 고작 칠십 생애에 희로애락(喜怒哀樂)을 싣고 각축하다가
한 움큼 부토(腐土)로 돌아가는 것이 인생이라 생각하니, 의지(依
支) 없는 나그네의 마음은 암연(暗然)히 수수(愁愁)롭다."

246

겁(劫)의 속설

천상에 사는 선녀가 천년에 한 번씩 옥류탕에 목욕을 하러 내려온다. 그는 비단옷을 벗어 바위에 놓는다. 그 바위는 사방 여덟 자의 쑥돌이다. 그 선녀의 옷깃에 스쳐 그 바위가 다 닳아 없어지는 시간을 겁(劫)이라 한다.

스님과 땡추

스님을 땡추라고 부른다. 본디 이는 비속어가 아니었다. 이는 불교 박해 시대에 그들이 자구책으로 모임 곧 "당취"(黨聚)를 만든 것이 음운 변화를 일으키고 끝내 의미 변화를 가져온 것이다. 청계천이 처음에는 "아름다운 냇물"이었지만 끝내 "더러운 개천"이 된 것과 같다.

사찰 순례

장엄함을 보려면 양산(梁山) 통도사(通度寺)를 보고,
대웅전의 현판을 보려면 강진(康津) 백련사(白蓮寺)를 보고,
불사(佛事)의 위대함을 보려면 안개 낀 해남(海南) 미황사(美黃寺)를 보고,
부처님의 진신사리를 친견(親見)하고 영험함을 받으려면 고성(高城) 건봉사(乾鳳寺)에 가고,

간월암. 충남 서산시 부석면. 그림 백동열

아름다운 오리 숲을 보려면 부안(扶安) 내소사(來蘇寺)를 보고,

치병(治病)의 지기(地氣)를 체험하려면 청양(靑陽) 칠갑산(七甲山) 장곡사(長谷寺)에 가고,

아름다운 부도(浮屠)를 보려면 구례(求禮) 지리산(智異山) 연곡사 (鷰谷寺)를 보고,

고승비(高僧碑)를 보려면 고창(高敞) 선운사(禪雲寺)의 추사(秋史)가 쓴 백파선사 비(白坡禪師碑)를 보고,

마음이 괴로워 일망무제(一望無際)를 보고 싶으면 양양(梁陽) 낙산사(洛山寺)나 남양주(南楊州) 운길산(雲吉山) 수종사(水鍾寺)를 보고,

그윽한 차 맛이 그리우면 하동(河東) 쌍계사(雙溪寺)나 강진(康津) 백련사(白蓮寺)를 보고,

시원한 물맛이 그리우면 강릉(江陵) 낙가사(洛伽寺)를 보고

역사의 무상함을 보려면 경주(慶州) 감은사(感恩寺)의 폐사지(廢寺址)를 보고,

이광사(李匡師)의 명필을 보려면 구례(求禮) 천은사(泉隱寺)를 보고, 참선을 하고 싶으면 문경 봉암사(鳳巖寺)를 찾는 것이 좋다. 서슬이 퍼렇던 불자(佛者) 아무개 대통령이 산문을 닫은 봉암사에 들어가려다가 사찰 시자(侍者)에게 입장 금지를 겪었다.

나의 성경 편력

나는 젊어서 민족주의를 공부할 때는 『신약성경』「로마인에게 보낸 편지」 9 : 3, 곧 "내 동족을 위해서라면 차라리 나 자신이 그리스도로부터 저주받기를 바라겠노라."라는 소절을 읽으며 지표로 삼았다. 그리고 피히테(J. G. Fichte 1762~1814)를 따라갈 수 없지만, 내 생전에 나도 '조선 민족에 고함'을 쓰고 싶었

피히테

다. 요즘도 만나면 그 책은 언제 나오느냐고 묻는 학생들이 있다. 그럴 때마다 나는 얼굴을 들 수가 없다.

* 피히테는 나폴레옹전쟁이 일어나자, 군대의 말발굽 소리를 들으며 『독일 국민에게 고함』(1808)이라는 연속 강의를 했다. 베를린대학 총장에서 은퇴한 뒤 그는 나폴레옹전쟁에 지원했으나 노령으로 입대하지 못하자 간호병으로 지원한 아내의 조수로 일하다가 티푸스에 걸려 전선에서 죽었다. 학문과 행실이 같았던 대학자였다.

그 무렵에 콜레라가 베를린을 강타하자 독일의 법철학자 헤겔(Georg W. F. Hegel : 1770~1831)은 피신하지 않고 강의를 계속하다 그 병으로 죽었고, 죽음

이 아름답다던 쇼펜하우어(Arthur Schopenhauer : 1788~1860)는 병을 피하여 대학을 떠났다. 쇼펜하우어는 독신으로 개를 키웠는데 그 이름이 "헤겔"이었다. 그는 자기의 강의실에는 학생이 적고 헤겔의 강의실에는 학생들이 꽉 찬 것을 보고 집에 돌아와 그 개의 배를 걷어찼다.

언제 시간 강사를 모면하고 교수가 될지 기약 없이 아내에게 얹혀 살던 시절에는 『구약성경』「시편」90 : 13을 많이 기도했다.

"주여, [이 어둠은] 언제까지이니까?"

춥고 배고프던 시절에는 『신약성경』「히브리인에게 보낸 편지」 12 : 6으로 스스로를 위로했다.

"주께서 너에게 고난을 주심은 너를 사랑하시기 때문이라."

지금도 공부에 힘겨워하는 가난한 후배들에게는 위의 성구를 적어 준다.

정년 퇴직 이후에는 『신약성경』「야고보의 편지」 4 : 15를 많이 읽었다.

"주께서 원하시면 이런저런 일[한글 성서 고쳐 쓰기]을 할 수 있으리라."

내가 이 시대의 한 지식인으로 살면서 가슴에 담고 산 것은 『신약성경』「마테오복음」 5 : 16이다.

"너의 착한 행실을 보며 세상 사람들이 너의 주님을 찬양하게 하라."

하느님이 나의 기도를 들어주지 않는다고 화가 날 때면 나는 이렇게 기도했다.

"그래, 주께서 너의 기도를 들어주지 않으신 것이 무엇이란 말이냐?"(『구약성경』「이사야서」 5 : 4)

잠시 쉬어 가는 시(詩)

야보 도천(冶父道川)의 선시(禪詩)

살다 보면 나무에 매달리는 꼴이 이상할 것 없지만
得樹攀枝未足奇(득수반지미족기)
절벽에 매달렸을 때 손을 놓는 것이 대장부이니
懸崖撒手丈夫兒(현애살수장부아)
물 차고 밤 서리 내리면 고기도 보이지 않는데
水寒夜冷魚難覓(수한야냉어난멱)
배에 머물다 달빛이나 싣고 돌아갈거나
留得空舡載月歸(유득공강대월귀)

아래는 야보 도천(冶父 道川)의 게송(偈頌)이다.

대나무 그림자가 계단을 쓸어도 먼지는 그대로이고
竹影掃階塵不動(죽영소계진부동)
둥근 달빛이 연못을 뚫어도 물에 흔적이 남지 않네
月輪穿沼水無痕(월륜천소수무흔)
맑은 물이 깊은 샘에 있는 것처럼
如溪水在於深井(여계수재어심정)
지혜는 밝은 사람 마음에 있듯이
智慧存於明者心(지혜존어명자심)
단 사흘이라도 마음 닦으면 천년 가는 보배요

三日修心千載寶(삼일수심천재보)

백 년을 탐한 재물도 하루아침에 사라지는 티끌 같구나

百年貪物一朝塵(백년탐물일조진)

* 야보 도천 (冶父 道川 : 1127~1279) : "冶父"는 사람의 이름일 경우 "야보"
라고 읽는다. 출신은 곤산(昆山)의 적씨(狄氏)로 이름이 적삼(狄三)이었다. 여
기 삼(三)은 대가족 집안의 세 번째 아들이라는 뜻이었을 것이다. 군(軍)의 집
방직(執方職)에 있으면서 궁수로 근무했다. 경덕(景德)의 도겸(道謙) 선사를 찾
아가 법(法)을 묻자 예의 무자(無字) 화두를 들려주었다.

"개에게는 불성이 없다. 알겠느냐?"

야보가 새벽부터 밤까지 직무도 보지 않고 화두를 안고 애쓰는 것을 보다
못한 상관이 화가 치밀어 곤장을 치자 그 순간에 적삼은 홀연히 깨쳤다. 이에
도겸이 그의 이름을 고쳐주었다.

"이제까지 너는 적삼(狄三)이었지만, 지금부터는 도천(道川)이다. 이제 등
뼈를 곧추세워 정진한다면 그 도(道)가 시냇물[川]처럼 불어날 것이지만, 조금
이라도 게으르고 방심(放心)하면 한심한 인간으로 다시 떨어질 것이다."

그는 특히 『금강경』을 통해 자기의 견해를 후학들에게 많이 가르쳤다.

성직자의 경건함

요즘 같은 유행병 시대에는 교회도 어쩔 수 없이 비대면으로 설교

한다. 내가 아는 어느 대형 교회의 목사님은 주일이면 다섯 번 비대면 설교를 하는데 다섯 번 모두 직접 생방송으로 하신다. 어차피 같은 내용의 설교이니 녹화를 해서 다섯 번 틀면 될 일인데 굳이 육성으로 동시 방송을 내보낸다.

그분은 왜 그럴까? 성직을 꾀부리며 할 수 없다는 믿음 때문일 것이다. 가끔 사찰에 가서 녹음테이프로 들려오는 독경을 들을 때면 그 목사님이 생각난다. 성직이란 얼마나 경건해야 하나? 그리고 이 시대의 성직자 가운데 그 목사님처럼 경건하게 믿음 생활을 하시는 분이 얼마나 될까?

괴산성당 신부님의 벽돌

내가 어렸을 적에, 아마도 1958년 무렵에 우리 마을 괴산에 성당의 건축이 시작되었다. 신부님은 외국인이었는데, 그의 큰 코도 신

괴산성당

기하고, 성당은 어떻게 짓는가를 보려고 나는 가끔 건축 현장에 놀러 갔다. 그런데 그 신부님은 참 이상한 분이었다. 콘크리트를 칠 때 먼저 조심스럽게 모래에서 아주 작은 돌마저 모두 골라내어 정갈하게 한 다음 그 모래를 자갈과 섞어 버무렸다. 참으로 나는 알 수 없었다. 곧바로 자갈과 섞일 모래에서 저토록 정성스럽게 작은 돌멩이를 체로 걸러내는 이유가 뭘까?

나는 성인이 되어 천주교 신자가 된 뒤에도 성당 건축을 바라보며 그 신부님의 모습을 자주 회상했다. 그 신부님은 왜 그리 바보 같은 (?) 짓을 했을까? 어떻게든 이 의문의 해답에 도달하지 않고서는, 병속의 새가 어떻게 밖으로 나왔는지를 묻는 불가(佛家)의 화두(話頭)를 풀지 못한 것처럼, 의문이 풀리지 않았다.

그래서 한참의 세월이 흐른 다음에 나는 스스로 결론을 내렸다. 그 신부님은 바보가 아니라, 성전을 짓는 데 얼마나 경건해야 하는가를 알고 있기 때문에 그런 것이라고. 나는 내 생애의 마지막 작업으로 『우리말 성경』을 다듬으면서, 모래에서 어차피 섞일 작은 돌멩이를 골라내던 그 신부님을 자주 회상했고, 나의 글에 자갈이 섞이지 않은 고운 모래만을 쓰기로 여러 번 다짐했다.

『성경』 속의 간음한 여인

『신약성경』의 "간음한 여인"의 이야기를 할 때면 우리는 이렇게 인용한다.

"너희 가운데 죄 없는 자가 먼저 저 여자에게 돌을 던져라."

〈예수와 간음한 여인〉. 앤더슨(J. H. Anderson) 그림

『성경』에는 그 장면이 이렇게 기록되어 있다.

파리사이인과 율법 학자들이 간음한 여인을 예수께 데리고 와 돌로 쳐 죽여야 하는지를 물었다. [중략] 예수께서 일어나시어 여자 말고는 아무도 없는 것을 보시고 이르시되,

"여인이여, 그대를 고소하던 그들이 어디 있소? 그대를 정죄한 무리가 없소?"

여인이 대답하되,

"주여 없나이다."

하니,

예수께서 말씀하시되,

"나도 그대를 정죄하지 아니하노니 가서 다시는 죄를 저지르지 마시오."

하시니라. (『요한복음』 8 : 6~11)

『성경』의 이 대목을 읽을 때 나는 우리가 이 일화의 본질을 놓치고 있다고 생각한다.

먼저 파리사이파 사람과 율법 학자들이,

"이 여인을 돌로 쳐 죽여야 합니까?"

하고 물었을 때 예수께서는 즉답을 못하고 몸을 굽혀 바닥에 뭐라

고 쓴 다음 일어서서,

"여러분 가운데 죄 없는 자가 먼저 돌을 던지시오."

라고 말씀하셨다. 우리는 이 대목에만 초점을 맞춘다. 그런데 더 중요한 것은 그다음 대목이다. 그리고 예수께서는 다시 몸을 굽혀 바닥에 뭐라고 썼다.

내가 이 『성경』에서 관심(의문)을 두는 중요한 부분은, 예수께서 두 번씩이나 몸을 구부리며 바닥에 쓴 내용은 무엇일까? 하는 점이다.

"나는 죄를 저지르지 않았나?"

라고 쓴 것은 아닌지……

또 하나 이 『성경』에서 내가 주목하는 부분은,

"나이 많은 사람들이 먼저 떠났다."

는 점이다. 문예부흥기의 대표적 화가인 로렌초 로토(Lorenzo Lotto, 1480~1556)의 성화 〈간음한 여인〉이라는 그림을 보면 그 자리에는 모두 열여섯 명이 서 있는데 그 가운데 여성은 간음한 그 여인 하나뿐이다. 자, 나의 질문은 이렇다.

"왜 늙은이들이 먼저 떠났을까?"

인생은 산 만큼 죄를 짓는다는 뜻이 아닐까? 그래서 마음에 찔리는 죄책감이 커서 먼저 떠났을 것이라는 점이 나의 생각이다. 그러니 나이 먹은 것은 자랑할 것도 아니고 행세할 일도 아니다. 인생에서 연륜과 그가 지은 죄의 양은 정비례하기 때문이다. 그래서 막스 베버(Max Weber)는 그의 저서 『직업으로서의 정치』(1917)의 말미에서 이렇게 말했다.

"악마는 노인이다."

기도하는 손

나는 어렵게 살던 젊은 시절에는 소망의 기도를 많이 했고, 먹고 살만할 때는 감사의 기도를 많이 했고, 이제 인생의 황혼에 서서 참회의 기도를 많이 한다. 소망이 있다는 것만으로도 행복했다. 인간이 가장 먼저, 그리고 가장 마지막까지 전도해야 할 사람은 나 자신이다.

인생에는 소망의 기도를 드릴 날이 그치지 않는다. 그것은 세상살이가 그만큼 고해(苦海)이기 때문이 아니라, 인간의 소망이 끝이 없어서이다. 소망의 기도를 드릴 수 있다는 것만으로도 행운이요, 행복하다. 이 세상에는 그런 소망마저도 없는 사람이 많다.

* 사진 설명 : 독일의 화가 알브레히트 뒤러(Albrecht Dürer, 1471~1528)에게는 평생 고락을 함께 할 친구 프란츠 나이슈타인(Franz Neistein)이 있었다. 둘은 모두 화가가 되고 싶었지만 가난하여 그럴 수 없었다. 그래서 그들은 제비뽑기를 하여 나이슈타인이 먼저 돈을 벌어 뒤러의 학비를 대고, 뒤러의 공부가 끝나면 그때는 뒤러가 돈을 벌고 나이슈타인이 그림 공부를 하기로 약속했다.

그렇게 하여 뒤러가 성공한 다음 빚을 갚으려고 나이슈타인을 찾아갔더니

뒤러(A. Dürer)의 〈기도하는 손〉

그는 목수가 되어 일하면서 뒤러의 성공을 위해 기도하고 있었다.(식당 종업원으로 된 기록도 있다.) 그러나 안타깝게도 나이슈타인은 이미 오랜 목수 생활로 손이 굳어 그림을 그릴 수 없었다. 그때 뒤러가 슬프고도 미안하여 친구의 손을 그린 것이 바로 이것이다. 이 그림은 지금도 오스트리아 비엔나의 알베르티나 박물관에 보관되어 500년 동안 관객의 심금을 울리고 있다. 관포지교(管鮑之交)는 동양에만 있는 것이 아니다.

안토니오 성인

신부님에게서 들은 말씀인데, 천주교에서는 물건을 잃었거나 어디 두었는지 생각이 나지 않을 경우, 안토니오(St. Antonius) 성인에게 기도하면 찾게 된다는 믿음이 있다. 그분이 이집트의 은수사(隱修士)인 성 안토니오(St. Antonius, 250~356)인지, 파두아의 성 안토니오(St. Antonius de Padua, 1195~1231)인지는 모르겠고, 이것이 정통 교리로 인정받은 것인지 아닌지도 알 수 없다. 그러나 나는 나이 들어 기억이 흐려진 뒤로 이 성인의 기도를 많이

안토니오 성인

한다. 그리고 잃어버렸거나 잊은 물건을 거의 찾는다. 나는 이것을 미신이라고 생각한 적이 없다. 여러분도 한번 해 보시기를.

천주교인들 사이에 웃자고 하는 이야기

첫 번째 이야기

성당에 미사를 드리러 들어가는 예배실 앞에 성수대가 있다. "성부와 성자와 성신의 이름으로, 아멘." 하며 성호를 긋기에 앞서 장가락에 찍어 이마와 가슴에 대는 물이다. 이 물이 성수(聖水)이니 경건하게 다루고 있지만, 여름철이 되면 밤새 파리나 모기가 익사(?)하는 일이 가끔 벌어진다. 그런 장면을 보면서 신자들은 우스갯소리를 한다.

"성수가 오염된 건가? 아니면 파리가 은총을 입은 건가?"

이에 대한 대답은 그리 어렵지 않다. 『구약성경』「학가이서」2 : 11~14에 나오는 하느님의 말씀에 따르면, "봉헌된 고기를 옷자락에 담아도 그 옷은 성화(聖化)되지 않는다. 그것은 더럽혀진 시체에 닿은 옷이 부정(不淨)한 것과 같다."

두 번째 이야기

김(金) 베드로 신부님은 줄담배꾼이었고, 이(李) 미카엘 신부님은 담배라면 고개를 절레절레 흔드시는 기관지염 환자였다. 그래서 늘 실랑이가 벌어졌다. 그러던 어느 날 두 신부님이 다시 담배 때문에 논쟁을 하고 있는데 주제는 "기도와 담배를 함께할 수 있는가?"였다. 당연히 김 신부님은 된다고 하고, 이 신부님은 안 된다고 주장했다. 서로 논리가 팽팽하여 답이 없자 두 신부님은 교황청에 문의하기로 했다. (여기서부터 말이 안 되는 우화이다.)

그런데 두 신부님이 교황청으로부터 모두 "당신이 옳다."는 답신을 받았다. 판정에 나선 주임 신부님이 김 신부님과 이 신부님이 교황청에 보낸 문의서를 받아 살펴보니 그 질문의 내용은 이러했다.

먼저 골초 김 신부님의 질의서는 이러했다.

"담배를 태우면서도 기도해야 할 일이 있겠지요?"

답 : "예, 옳습니다."

그다음으로 기관지염 환자 이 신부님이 보낸 질의서는 이러했다.

"기도하면서 담배를 태우면 안 되겠지요?"

답 : "예, 옳습니다."

『탈무드』 이야기

모든 『탈무드』의 첫 페이지는 백지로 되어 있다. 유대인들은 이것을 "당신의 생각을 써넣는 곳"이라고 풀이하지만, 나는 생각이 좀 다르다. "여기에 들어오는 사람은 마음을 비우라"(단테의 『신곡』 「연옥편」 § 130)는 뜻이 아닐까?

지욱(智旭) 대사의 가르침

나는 몸이 괴롭거나 세상살이가 힘들 때면 문득 명(明)나라 천태종(天台宗)의 고승이었던 지욱(智旭) 대사의 『보왕삼매론』(寶王三昧論)이 생각난다. 기왕에 그분 말씀이 나왔으니, 그 전문을 소개하면 다음과 같다.

* 지욱(智旭) 대사의 「보왕삼매론」(寶王三昧論)

1) 몸에 병이 없기를 바라지 말라. 몸에 병이 없으면 탐욕이 생기기 쉽다. 그러므로 성인[부처님]께서 말씀하시기를, 병으로써 양약(良藥)을 삼으라 하셨다.(念身不求无病 身无病則貪欲易生 是故聖人說化 以病苦爲良藥)

2) 세상살이에 어려움이 없기를 바라지 말라. 세상살이에 어려움이 없으면 교만한 마음과 사치스러운 마음이 생긴다. 그러므로 성인께서 말씀하시기를, 근심과 곤란으로써 세상을 살아가라 하셨다.(處世不求无難 世无難則驕奢必起 是故聖人說化 以患難爲逍遥)

3) 공부하는 마음에 장애가 없기를 바라지 말라. 마음에 장애가 없으면 배우는 것을 건너뛰게 된다. 그러므로 성인께서 말씀하시기를, 장애 속에서 해탈을 얻으라 하셨다.(究心不求无障 心无障則所學躐等 是故聖人說化以遮障爲解脫)

4) 수행하는 데 사심[邪心, 魔]이 없기를 바라지 말라. 수행하는 데 사심이 없으면 서원(誓願)이 굳게 되지 못한다. 그러므로 성인께서 말씀하시기를, 모든 마군(魔軍)으로써 수행을 도와

지욱 대사(google)

261

주는 벗으로 삼으라 하셨다.(立行不求无魔 行无魔则誓愿不堅 是故聖人說化 以群魔爲法侶)

5) 일을 꾀하되 쉽게 되기를 바라지 말라. 일이 쉽게 되면 뜻을 경솔한 데 두게 된다. 그러므로 성인께서 말씀하시기를, 여러 겁(劫)을 겪어 일을 성취하라 하셨다.(謀事不求易成 事易成则志存輕慢 是故聖人說化 以留難爲成就)

6) 친구를 사귀되 내가 이롭기를 바라지 말라. 내가 이롭고자 하면 의리를 상하게 된다. 그러므로 성인께서 말씀하시기를, 순결로써 사귐의 양식을 삼으라 하셨다.(交情不求益吾 交益吾则虧損道義 是故聖人說化 以敝交爲資粮)

7) 남이 내 뜻대로 순종해 주기를 바라지 말라. 남이 내 뜻대로 순종해 주면 마음이 스스로 교만해진다. 그러므로 성인께서 말씀하시기를, 내 뜻에 맞지 않는 사람들로 울타리를 삼으라 하셨다.(於人不求順適 人順適则心必自矜 是故聖人說化 以逆人爲園林)

8) 공덕을 베풀면서 과보(果報)를 바라지 말라. 과보를 바라게 되면 도모하는 뜻을 가지게 된다. 그러므로 성인께서 말씀하시기를, 덕을 베푼 것을 헌 신 버리듯 하라 하셨다.(施德不求望報 德望報则意有所圖 是故聖人說化 以布德爲棄屧)

9) 분수에 넘치게 이익을 바라지 말라. 이익이 분수에 넘치면 어리석은 마음이 생기게 된다. 그러므로 성인께서 말씀하시기를, 적은 이익으로 부자가 되라 하셨다.(见利不求沾分 利沾分则痴心亦動 是故聖人說化 以疏利爲富貴)

10) 억울함을 겪을 때 밝히려고 하지 말라. 억울함을 밝히면 원망하는 마음을 돕게 된다. 그러므로 성인께서 말씀하시기를, 억울함을

겪는 것으로 수행하는 본분으로 삼으라 하셨다.(被抑不求申明 抑申明 則怨恨滋生 是故聖人說化 以屈抑爲行門)

- 지욱(智旭), 「寶王三昧論 : 十大碍行」(17), 『大正新修大藏經』(47)(東京 : 大藏 出版株式會社, 1936), pp. 373~374.

　　* 지욱 대사(1599~1655)는 명나라의 천태종 승려로서, 속성은 종(鍾) 씨이 며, 오현(吳縣) 출신이다. 처음에 유교를 배우고 『벽불론』(闢佛論) 몇십 편을 지어 불교를 크게 비판 공격하다가 『수능엄경』을 보고 발심하여 1621년 감산 덕청(憨山德淸)의 문인 설령(雪嶺)에게 계를 받고 출가하였다.

기독교와 붕어

　　서양의 기독교 유적지에 가면 유 난히 붕어의 조각이 많다. 이는 붕 어의 물신 숭배가 아니라, 기독교 가 지하 포교를 하던 시대에 자기들 끼리 쓰던 암호이다. 헬라어로 "우

박해 시대의 기독교인 표지

리 주 예수 그리스도"(Acronym for Jesus Christ, the Son of God, our Savior)의 첫 글자를 따면 붕어(*ichtus*)가 되기 때문이다.

추운 지방에서 자란 나무가 단단하다

　　인생에서의 고난은 전적으로 손해 보는 일만은 아니다.

명당(明堂)

대한제국의 망국기에 러시아는 한국인들 가운데 부패한 무리를 매수했고, 일본은 교활한 무리를 매수했다. 그래서 러시아는 이용익(李容翊)을 매수했고, 일본은 이완용(李完用)을 매수했다. 그리고 일본이 이겼다. 교활한 무리가 부패한 무리보다 유능하기 때문이다. 아마도 그 시대에 한국의 운명이 어디로 흘러가고 있는지를 가장 정확하게 읽은 사람은 이완용이었을 것이다.

명당은 분명히 있다. 한국의 명당은 모두 절이거나 군부대가 차지하고 있다. 고승은 모두 유명한 풍수(風水)였으니 그렇다 하더라도, 군부대는 왜 명당일까? 삶과 죽음을 놓고 고뇌하기에는 고승이나 대대장이나 모두 같기 때문이다. 배산임수(背山臨水), 뒤에 숲이 우거지고, 앞에 내가 흐르면 그 집이 좋은 것이야 풍수가 아니라도 맞는 말이 아니겠는가? 그런데 명당에 묘를 쓴 사람의 후손들은 왜 몰락했을까?

이완용의 묘가 그런 사례에 해당한다. 총리대신이 죽었으니 얼마나 잘난 풍수들이 명당을 골랐겠는가? 만장(輓章)의 길이는 삼십 리였고, 그 장려함은 고종 황제(高宗皇帝)의 인산에 버금갔다. 그는 죽으면서 자기의 무덤이 부관참시(剖棺斬屍)되리라는 것을 잘 알고 있었다.

그래서 이완용은 여러 곳에 가묘(假墓)를 쓰고, 전주(全州) 모악산(母岳山)에 진짜 묘를 썼다. 분명히 명당이었다. 그러나 그의 후손은 영화롭지 않았다. 당장 복이 쏟아지고[今時發福] 백 대의 후손까지 복락을 누릴[百代福樂] 땅에 묻혔는데 왜 그 가문은 몰락했을까? 생전에

덕행을 쌓지 않으면 명당이 시신을 토해내기 때문이다. 그러기에 이미 창조의 시대에 하느님께서 이렇게 말씀하셨다

"땅을 더럽히면 그 땅(무덤)이 너를 토하리라."(『구약성경』「레위기」18 : 28)

이완용은 다음과 같은 절세(絶世)의 매국시(賣國詩)를 썼다. 고종이 시제(詩題)를 내니 통감 이토 히로부미(伊藤博文)와 궁내부대신 비서관 모리 오노리(森大來)와 뒷날 2대 총독이 된 소네 아라스케(曾禰荒助)와 이완용이 연작시(聯作詩)를 짓고 이완용이 글씨를 썼다. 이 시의 해석은 이렇다.

이완용의 글씨
당대의 명필이었다

단비가 처음 내려 만인을 적시니
(甘雨初來霑萬人, 감우초래점만인)
춘무(春畝) : 이토 히로부미(伊藤博文)의 호(號)임
함녕전 위 이슬 머금은 꽃이 새로워라.
(咸寧殿上露華新, 함녕전상노화신)
괴남(槐南) : 모리 오노리(森大來, 궁내부대
신 비서관)
부상(扶桑, 일본)과 근역(槿域, 조선)을 어찌 다르다 논하리오.
(扶桑槿域何論態, 부상근역하론태)
서호(西湖) : 소네 아라스케(曾禰荒助, 2대 통감)
두 땅이 한 집 되니 천하가 봄이네.

265

(兩地一家天下春, 양지일가천하춘)

일당(一堂) : 이완용(李完用)

근취당의 눈 덮인 창가에서 일당 이완용 씀

(槿翠堂雪牎下 一堂李完用, 근취당설창하 일당이완용)

위의 시를 보면 이완용의 행적보다 그의 심사가 더 교활했음을 알 수 있다. 가슴에 만 권 서적을 담았으면 무슨 소용이 있으랴! 충신 열 명이 간신 하나를 이기지 못하거늘.

송광사(松廣寺)에 가면....

순천 송광사의 보조국사 사리탑에서

승주(昇州) 송광사에 가면 나는 보조국사(普照國師) 지눌(知訥) 스님의 사리탑을 껴안고 웁니다. 그냥 웁니다. 부모님께 불효한 죄가 사무치기 때문입니다. 그럴 때면 지눌 스님은 나에게 이렇게 말씀하십니다.

"같은 물이라도 뱀이 먹으면 독이 되고 소가 마시면 젖이 된다우."

(蛇飮水生毒 牛飮水生乳 :「誡初心學人文」)

귀향(歸鄕)

서산 대사(西山大師)

집 떠난 지 30년만에 고향이라 찾아오니
三十年來返故鄕(삼십년래반고향)

알던 사람 하나 없고 낯익은 집 다 헐려 황량하구나
人亡宅廢又村荒(인망택폐우촌황)

청산은 말이 없고 봄 하늘은 저무는데
靑山不語春天暮(청산불어춘천모)

서쪽[西蜀]새 소리만 아득히 들려오네
杜宇一聲來杳茫(두우일성내묘망)

동네 아낙들은 줄지어 문틈으로 날 보기에
一行兒女窺窓紙(일행아녀규창지)

머리 흰 늙은이는 네 이름이 뭐냐 묻는구나
鶴髮鄰翁問姓名(학발인옹문성명)

어렸을 적 이름 듣자 서로 잡고 눈물짓는데
乳號方通相泣下(유호방통상읍하)

하늘은 바다런 듯 밤은 깊어 삼경일세
碧天如海月三更(벽천여해월삼경)

서산 대사 휴정(休靜)

  서산 대사께서 전국을 돌아본 것에 제자들
이 어느 산이 가장 아름답던가를 여쭈었더니 이렇게 대답했다.

  금강산은 빼어나지만 장엄하지 못하고

金剛山 秀而不莊(금강산수이부장)

지리산은 장엄하지만 빼어나지 못하고

智異山 莊而不秀(지리산장이불수)

구월산은 장엄하고도 빼어나더라.

九月山 亦莊亦秀(구월산역장역수)

서양이 여권 사회라고?

주일 아침에 예배를 보러 차를 몰고 교회로 갈 때 서양에서는 남편과 아내 가운데 누가 운전을 할까? 동부의 상류 사회에서는 여성이 운전을 한다. 모처럼의 휴일에 남편을 수고롭게 할 수 없다는 배려에서이다.

『성경』을 보면 여성은 인구에 포함되지도 않았는데, 이는 동양 사회에서 노비가 인구에 포함되지 않은 것과 같다. 두 마리 생선과 떡 다섯 덩어리로 남자만 5천 명이 먹었지, 여자는 숫자에 넣지도 않았다.(『신약성경』「마르코복음」 6 : 35~44) 여성은 제사에도 참석할 수 없었다. 지금도 유대교의 예배당(Synagogue)에 여성은 들어가지 못한다.『성경』의 결혼에 관한 계율을 보면 신랑이 아내에게 지킬 계율은 두 가지이고, 아내가 지켜야 할 계율은 여덟 가지이다.(3 : 1~7)

그러면서도 그들은 동양을 가리켜 남존여비(男尊女卑)라고 말하고, 공부가 부족한 동양의 여성들은 서양의 여권(?)을 들먹이며 자기들이 남성으로부터 학대받고 있다고 소리친다. 여성의 비하는 애당초에 체력의 열등에 따른 차이에서 비롯된 것이지 인격의 차이가 아니다.

보쌈

사윗감을 약탈하는 스키타이족(google)

약탈혼은 고대부터 있었다. 약탈혼은 단순한 여성 약탈이 아니라 동족혼(inbreeding, endogamy)을 막고 이족혼(exogamy)을 하려고 양쪽 부족이 암묵적으로 동의한 통혼 방법이었다. 따라서 문화인류학적으로 보면 여성 핍박이라고만 볼 수 없는 측면이 있다.

한국에서는 이를 보쌈이라하여 여성 약탈로 보지만 이도 사실과 다르다. 엄혹한 개가금법(改嫁禁法)의 사회에서 혼자된 며느리의 가엾은 장래를 생각하여 양가에서 암묵적으로 동의한 방법이 곧 보쌈이었다.

또한 보쌈의 대상은 본디 여자가 아니라 남자였다. 한 대갓집에서 귀한 딸의 사주팔자를 보니 청상(靑孀)의 과부가 될 운명이라는 점괘가 나왔을 때, 그 부모는 종이나 동네에서 없어져도 소문 없을 총각을 보자기에 씌워 혼인 전날에 딸과 동침을 시키고 죽임으로써 청상의 액땜을 했는데, 이것이 남자 보쌈의 기원이다.

우리와 같은 핏줄인 남미의 인디오족들에게는 지금도 혼기가 다가오는 딸이 과부가 될 운명이라는 점괘를 받으면, 며칠 앞서 수탉을 잡아 처녀와 동침시킨 뒤에 그 닭을 "잡아먹고" 혼례를 치름으로써 과부가 될 운명을 액땜하는 풍속이 남아 있다.

작은 사람/ 큰 사람

작은 사랑을 실천하지 못하면 큰 사랑을 이룰 수 없고, 작은 기쁨에 만족하지 않으면 큰 기쁨을 느끼지 못한다.

인생의 행복 지수(10 kinds of Happiness)

내가 생각하는 인생 행복 열 가지는 이렇다.

1) 다복한 가정 : 화목한 대화가 으뜸이다.

2) 노동이 가능한 육신과 건강.

3) 일체의 빚이 없이 통장에 현금 5만 달러의 잔고가 있을 정도의 재산.

4) 보람과 연금이 보장된 직장.

5) 학위를 갖고 있으며, 하나의 외국어를 이해하고, 자신의 목소리가 중앙 텔레비전이나 중앙 일간지에 게재된 사실이 있을 정도의 지식 수준.

6) 한 식구마다 5평, 식구 모두를 합해서 적어도 30평 이상의 주거 공간을 가지고 있을 것.

7) 하나의 예술을 이해하고 취미로 즐김.

8) 종교적 행복을 누려본 적이 있는가?

9) 이집트의 피라미드와 뉴욕 맨해튼의 브로드웨이 공연을 보았는가?

10) 천수를 누리고 평화로운 죽음을 맞음

이 글을 읽으면서 "배운 사람만 행복하냐?"고 역정 낼 분들이 많으리라는 것을 나는 잘 알고 있다. 적어도 한국 땅에서는 배우지 못한 사람이 서럽고 억울하다.

당신은 위의 질문에 70점을 맞을 수 있는가? 그렇다면 당신은 행복한 삶을 살았다.

애덤 스미스(Adam Smith : 1723~1790)는 『도덕감정론』(1-3-1)에서, "인간이 건강한 육신을 가지고, 빚이 없이 살며, 양심에 걸리는 일 없으면 뭘 더 바라겠는가?"라고 말했다. 그러니 인간의 행복이란 얼마나 쉽고 소박한가? 그러나 이 행복마저도 누리지 못하는 사람이 많다.

와우아파트와 음악

1970년 4월에 초기 산업 사회의 진통 속에서 와우아파트가 준공 3개월 만에 완전히 붕괴되고 서른세 명이 애꿎게 죽었다. 그때 어느 한 방에 남자 자취생 두 명이 묻혀 있었는데, 하나는 죽었고 다른 하나는 살았다. 살아남은 학생은 클래식 음악을 좋아하여 그 칠흑 속에서도 트랜지스터에서 흘러나오는 음악을 통하여 위로를 받았고, 그래서 살았다. 죽은 학생은 음악을 즐기지 않았다.

인생은 밀어주어야 하나, 끌어주어야 하나?

미국 생활에서 가장 이상했던 점 하
나는, 동양에서는 톱질할 때 톱을 잡아
당기는데 서양 사람은 톱을 민다는 것
이었다. 어느 쪽이 더 합리적일까? 미는
톱은 휘어 불편할 텐데.

성공한 어느 사람이 후배를 도와줄
때 끌어주는 것과 밀어주는 것 가운데
어느 것이 더 효과적일까? 아기가 썰매
를 탈 때 어떤 부모는 앞에서 끌고, 어
떤 부모는 뒤에서 밀어준다.

톱질

앞에서 끌 경우에 그 아이는 부모가 끄는 대로 따라만 갈 수밖에 없
다. 그러나 뒤에서 밀어주면 아이가 가는 방향을 선택할 수 있다. 그런
점에서 보면 끌어주는 것보다 밀어주는 것이 더 지혜롭지 않을까?

슬픔이 너무 가까이 있으면

미국 워싱턴 유학 시절인 1985년 겨울, 눈이 억수로 내렸다. 내가
아는 지인의 딸이 아기를 낳았는데, 뉴욕에서 군 법무관으로 복무하
던 그 남편이 아들을 보러 내려오다가 눈길에 미끄러져 불행히도 세
상을 떠났다. 알링턴 국립묘지에 갔더니 미망인은 스물세 살이었다.
어떻게 위로할 말이 없었다.

나는 그에게 문득 이렇게 말했다.

"슬픔이 너무 가까이 있으면 멀리 쳐다봐요."

어찌 그런 말이 그렇게 순간적으로 생각났는지, 지금 생각해도 신기하다.

오랜 세월이 흘러 이제는 한국의 명사가 된 그 여인을 만났다. 그때 그 여인은 나의 말을 기억하고 있었다.

"이 또한 다 지나가리라." (This will too pass away.)

이는 솔로몬(Solomon)의 말이라고 흔히 알려져 있는데, 사실은 호메로스의『오디세이아』I : 47에 나오는 말이다.

"죽음은 삼인칭이 아니다."(송길원 목사(하이패밀리 대표))

국가와 교회

게일 목사

국가는 둥지와 같고 교회는 그 안의 알과 같다. 둥지가 무너지면 알도 깨지는데, 그것을 안 교회는 그리 많지 않았다. 연못골교회[蓮洞敎會]의 창설 목사인 게일(James Gale) 박사는 이런 말을 남겼다.

"한국의 기독교인들은 조국의 신세가 개처럼 되는 것을 무심히 바라보고 있었다. (Converts seemed to sit by and see the country go to the dogs.) 이는 애국자의 모습이 아니다. 교회는 끝까지 일본이나 일본인을 적대시하지는 않았다. 그것은 옳은 일이 아니었다." (James Gale(지음), 신복룡(역주), 『전환기의 조선』(2021), pp. 43, 127.)

일제 시대에 한국 기독교인들 가운데 애국자가 분명히 있었다. 그러나 포괄적으로 말해서 그들은 교회보다 조국을 더 사랑하지는 않았다. 천주교는 더욱 그러했다. 그들이 무시했던 신흥종교만도 못했다.

인간의 먹이

두 친구가 조난을 겪으면서 죽음이 다가올 때 마지막 나누는 대화는 언젠가 함께 먹었던 음식에 대한 추억이다.

인간이 최초로 발음한 것은 ㅁ(m)이다. 그래서 이 지구상 "어머니"의 발음은 모두 m으로 시작된다. 엄마, 맘마, 모(母), mother, まま, мамуля, 媽媽, mutter, mamá, 등이 그렇다. 아기가 m으로 발음하며 울기 시작하자 엄마는 아기가 배가 고파 운다고 생각했다. 그러면 젖(mammal)을 물렸다. 그래서 지구상의 언어에서 먹이는 m으로 시작된다. 먹다, 맘마, meat, meal 등이 그렇다. 고양이의 울음소리도 myao-myao이며, 소의 울음 소리도 음매(ummae)이다. 영어에서는 유방도 mamma이다.

절명시(絶命詩)

성삼문(成三問)

북소리는 나를 처형하라고 재촉하는데
擊鼓催人命(격고최인명)

머리를 돌려보니 해는 뉘엿뉘엿하네
回頭日欲斜(회두일욕사)

황천에는 주막집도 없다던데
黃泉無客店(황천무객점)

오늘 밤은 누구 집에서 잘거나
今夜宿誰家(금야숙수가)

사랑의 반대말은 미움이 아니다

사랑의 반대말은 미움이 아니라 무시하거나 잊는 것이다. 그래서 잊힌 사람은 버림받은 사람보다 더 비참하다.

지금을 행복하게 살아야 한다

지금도 불행한 사람은 지난날의 불행이 원망스러운 한(恨)이 되고, 지금 행복한 사람은 지난날의 불행을 추억이라고 말한다.

"지금 이 시각은 하느님이 주신 선물이다." (Present is a present.)

지금 여기에서 행복하게 살아야 한다.

상처 입은 조개만이 진주를 품는다

인생을 살다 보면 보대끼고 다치는 일이 어디 한두 가지인가? 인간 누구에게나 상처가 많다. 그런데 상처가 상처로 끝나면 슬픔이 되지만 상처가 근력(根力)이 될 수도 있다. 정형외과 의사의 말을 들어보면 골절된 부위는 보통의 뼈보다 튼튼하다고 한다. 그래서 상처입은 조개만이 진주를 품는가 보다. 어차피 상처를 입을 수밖에 없는 것이 운명이라면 그것을 흉터로만 보지 말고 진주로 보면 안 될까?

굽힐까, 부러질까?

건축학에 내풍(耐風)이라는 학과목이 있다. 고층 건물을 지으면 강풍에 견뎌야 하는 지탱력도 높아야 하지만, 자연 앞에 인간의 능력은 한계가 있다. 그래서 강풍이 불 때는 버티는 힘만이 능사가 아니며, 자연의 순리대로 어느 정도 바람에 몸을 맡겨 휘는 것이 좋다. 따라서 우리가 바라보는 고층 건물들은 늠름하게 바람을 견디고 있는 것처럼 보이지만, 사실은 미세하게 흔들리고 있다. 서울의 어느 고층 건물 로비에서 그 흔들이의 추를 본 적이 있다.

인생도 마찬가지이다. 온갖 세파에 독하게 마음먹고 버티는 것도 한 방법이겠지만 조금 숙이거나 휘어지는 것이 저 사람이나 나를 위해 편할 때가 있다. 결코 훼절(毁節)이나 대세로의 순응을 뜻하는 것이 아니다.

한신(韓信)이 그 굴욕을 참지 못하고 끝내 버티다가 건달들에게 맞아 죽었더라면 그를 가리켜 절개 있는 남아였노라고 사람들이 칭송했을까? 청나라 황제에게 항복 문서를 쓴 지천(遲川) 최명길(崔鳴吉)과 그 문서를 찢은 청음(淸陰) 김상헌(金尙憲)의 삶을 견주어 볼 때 최명길은 비굴했을까? 어쩌면 그가 청음보다 더 고뇌했을 것이다.

영어에서는 그런 사람을 wobbler라 한다. 중도나 중용을 지키려면 버티는 힘보다 더 강한 지탱력이 필요하다. 인생도 그렇고, 정치도 그렇다. 나는 그렇게 살지 못했지만 지나고 보니 그렇더라.

"왜 악인이 더 오래, 더 잘삽니까?"

내가 존경하는 뉴욕 맨해튼 한인교회 원로 목사님께 물었다.

"정말로 하느님이 계신다면 왜 사악한 인간들이 더 오래 (잘) 살고, 착한 사람들이 고통받아야 합니까?"(『구약성경』「전도서」 7 : 15; 「욥기」 21 : 7; 「예레미아서」 12 : 1)

그러자 그 목사님이 이렇게 대답하셨다.

"나도 아직 그것을 깨닫지 못했다우."

선량한 사람과 사악한 사람이 싸우면 사악한 사람이 이긴다. 사악한 사람과 지혜로운 사람이 싸우면 지혜로운 사람이 이긴다. 그러므로 지혜롭게 사는 것이 선량하게 사는 것보다 먼저이다. 우리는 자녀들이나 학생들에게 착하게만 살라고 가르쳐서는 안 된다.

내가 다시 쓴 『구약성경』 전편(외경 포함)을 검색해보니 "지혜롭게 살라"는 말이 760번 나오고, "사랑하며 살라"는 말이 328번 나온다. "지혜"가 사랑보다 두 배 더 많다. 『신약성경』에는 "지혜"가 377번 나오고, "사랑"이라는 말이 326번 나온다. (변용어와 유사어가 있을 터이니 이 숫자가 꼭 맞는 것은 아니다.) 이단이란 말을 듣기 딱 좋은 주장이지만, 나는 『성경』이 사랑의 복음서이기에 앞서 지혜의 복음서라고 생각한다.

죄와 선행의 양이 행복과 불행의 함수 관계를 갖는 것은 아니다. 선행이 반드시 축복받는 것이라면 새벽마다 파지를 주워 가난한 사람을 도와주었던 그 노인 여자 집사님이나 그토록 헌신적이었던 우리 성당의 카타리나 수녀님이 전교하러 가다가 짜장면 배달하는 사람의 오토바이에 치여 세상을 떠나서는 안 될 일이었다.

06

내가 보고 듣고 겪은
슬프고도 아름다운 이야기

내 통한(痛恨)의 수업 시대

김승웅(金勝雄) 방장(房長)님께,

오늘 저는 병원에 입원하여 링거 주사를 꽂고 이 생각 저 생각하다가 이 글을 씁니다. 60년을 함께 의지하며 살다가 며칠 전에 세상을 떠난 친구가 그립고 신세만 진 것이 미안하여, 나이를 생각하지도 않고, 이틀 밤을 빈소에서 지내고 장지까지 따라가 산바람 속에 6시간을 떨다가 몸살이 나서 입원했습니다.

그날따라 모임이 겹쳤는데, 한 모임에서 내 검은 넥타이를 보고 양종석 부회장이 "그 연세에도 문상을 다니시느냐?"고 물었지만, 저로서는 그만큼 마음이 아팠습니다. 하느님은 왜 착한 사람 먼저 데려가시는지, 하늘에는 모든 사람이 선행을 베풀고 살 텐데 왜 한창 베풀고 사는 사람, 이제 살 만한 사람부터 먼저 데려가시는지 매우 야속했습니다.

링거의 물방울을 바라보며 별생각 다 하고 있는데 마르코글방의 글이 도착했습니다. 마음도 울적한 터에 방장님의 "한국일보에서의 한(恨) 맺힌 이야기"를 읽는데 왜 남의 얘기에 내가 서러운지 울컥했습니다. 지난번에는 최락헌 선생께서 중소기업 경영자로서 피를 토하는 글을 올리더니 이번에는 또 방장까지 나서 사람을 짠하게 만듭니다.

그러나 누구인들 서럽고 아린 과거가 없겠습니까? 나무가 흔들리지 않으면 수분이 꼭대기까지 올라가지 않고, 바람이 불지 않으면 꽃가루가 교배되지 않으며, 날씨가 늘 화창하면 녹음도 사막이 됩니다. 말로는 그렇게 하지만, 이런 수사(修辭)로 어찌 위로가 되겠습니까? 이럴 때는 더 서럽게 사는 사람의 이야기가 위로를 준다기에 저의 아린 이런저런 이야기를 들려드리고자 합니다. 이렇게 산 인생도 있었구나, 여기시고 이 글을 읽으시며 (병든 아내의) 아픔을 다스리기 바랍니다.

저는 기차보다 비행기를 먼저 본 벽촌에서 자랐습니다. 며칠 전에는 세꼬시를 생선 이름인 줄 알았다가 백연수 사장에게 엄청나게 놀림을 받았습니다. 고등학교도 진학을 못 하다가, 어렵사리 돈을 벌어 마쳤지만, 대학은 엄두도 낼 수가 없었습니다. 전들 왜 서울대학에 들어갈 소망이 없었겠습니까만, 그 무렵 서울에서 제일 우수한 야간대학에 가느라고 정치대학(훗날의 건국대학)에 입학했습니다. 계란 장사를 했습니다. 저녁 식사는 금 간 계란을 깨서 사발에 부어 날로 마셨기 때문에 지금도 계란을 좋아하지 않습니다.

대학을 수석으로 졸업했습니다. 그 덕분에 팔자에도 없는 대학원에 들어가 소진(蘇秦)보다 더 고생스럽게 석사과정을 마쳤습니다. 대학원 교학과로부터 수석 졸업이니 꼭 참석하라는 연락을 받았지만, 막상 졸업식 날 수상자는 다른 사람이었습니다. 교학과장과 그 학생이 몇 번 수군거리는 것을 보았습니다.

몇 년이 지나 박사학위를 받았습니다. 학위 논문으로 동학(東學)을 썼습니다. 제가 고창 출신인 양종석 부회장만큼이나 고창/정읍 지리를 잘 아는 것은 그 덕분입니다. 학위 논문이 책으로 출판되었을 때 고려대학교에서 비학점(non-credit/Pass) 교양 100선(選) 읽기에 선정되어 인세의 도움을 받았습니다.

틈틈이 번역했는데 그 가운데 지금까지도 애정을 갖는 것은 잘 알려진 마키아벨리의 『군주론』으로, 1980년에 초판을 낸 이래 40여

년 스테디 셀러가 되었습니다. 서울대학교의 Classic Reading 권장 도서에 들어 있다던데, 지금도 그런지 모르겠습니다.

보따리장수(시간 강사)를 할 때 꽤 춥고 배고팠습니다. 교수실 보리차로 배를 채우고 강의실 강단을 왔다 갔다 할 적에는 뱃속에서 파도 소리가 들리고 머리가 어찔어찔했습니다. 아내가 친정에 가 몰래 봉지에 담아온 쌀을 쏟을 때면 남편이 듣지 못하게 소리가 나지 않도록 종이봉투의 주둥이를 좁히며 부었고, 저는 그것을 못 들은 체하며 원고를 쓰는데, 원고지에 물방울이 떨어지더군요.

몇 년이 지나자 지도교수님이 너도 교수가 되어야 하지 않겠느냐고 하시더군요. 저는 언감생심 아무 말도 못 하고 듣기만 했습니다. 인사위원회도 없이 총장 마음대로 뽑던 시절이었습니다. 지도교수님은 총장을 한번 찾아가 보라고 하시면서, 빈손으로 가지 말라고 넌지시 당부하더군요. 집에 가서 아내에게 얘기하니 한숨만 쉬더군요. 불알 두 쪽만 가지고 장가간 나에게 들고 갈 것이 뭐가 있겠습니까?

한참 머뭇거리던 아내가 말하더군요.

"이거라도 가져가요."

펴 보니 아내가 혼수로 가져온 은수저 한 벌이었습니다. 지난 광복절 때 박정희 대통령이 애국지사 유족인 장모님께 보내 준 것이었습니다. 음각으로 새겨진 대통령의 문장(紋章)과 성명이 선명했습니다. 몇 번을 망설이다가 나는 아내와 함께 총장을 찾아갔습니다. 사정 말씀을 드리고 은수저를 총장께 드렸더니 대통령 휘장을 보며 흡족한 표정으로 문갑 속에 집어넣으며 이렇게 말하더군요.

"신 군은 실력이 좋으니 더 좋은 대학에 채용되는 길을 막지 않으려고 우리 학교에서는 뽑지 않기로 했네."

총장 집을 나와 집으로 오는 동안 아내와 나는 버스 속에서 아무 말도 하지 않았습니다. 그날 밤 잠결에 한 여인의 흐느낌 소리가 들렸습니다. 유진오(兪鎭午)의 단편 「김 강사와 T 교수」가 남의 이야기가 아니었습니다.

그렇게 세월이 흘러 좋은 분 만나 꿈에 그리던 교수가 되었습니다. 내 딴에는 열심히 살았습니다. 친구들의 말에 따르면 머리가 나빠 양(量)으로 때운다는 것이었습니다. 공부가 좋아서도 아니고 먹고 살기 위해서, 명문대학 출신들에게 지지 않으려고 피나는 노력을 했습니다.

어느 해 신임 교수를 뽑는데 내가 지도한 학생이 응모했습니다. 전공 적합성은 가당치도 않은데 고향 선배인 총장이 밀어주기로 했고, 70억이라든가 17억이라든가 하는 부동산을 재단에 헌납하기로 하여 윗선에서 얘기가 다 되어 있으니 잘 부탁한다는 것이었습니다. 그 재산은 언제 기탁하느냐고 물었더니 현재 종산(宗山)으로 소송 중인데 곧 승소한다는 것이었습니다. 종산 소송은 삼대를 가는 건데……. 그러나 그와 관계없이 나는 부(否)를 던졌습니다. 그리고 이틀 후에 학내 인터넷 게시판에 내가 여자 조교와 동거한다는 글이 떴습니다.

분노한 PC동아리의 해킹 전문가들이 IP를 추적했더니 안양 어느 PC방에서 몇 시에 올린 것까지 다 나오더군요. PC방 주인의 말을 들어보니 알 만한 사람이었습니다. 나는 제 아내에게 얘기도 하지 않았는데, 제 아내가 그런 소문을 듣고 상처를 입을까 봐 걱정되어 학교의 후배가 아내에게 전화를 걸어, 이번 사건은 절대로 사실이 아니니 마음 아파하지 말라고 위로했답니다. 그랬더니 제 아내가 껄껄

웃으면서 내 남편은 그럴 사람이 아니라고 저들을 위로했답니다.

아내 얘기가 나왔으니 한 말씀만 더 드리면, 제가 유신 시절에 우이동 아카데미하우스에서 특강을 한 것이 문제가 되어 어디로 끌려가면서, 이런저런 일로 며칠 집에 못 들어갈 터이니 기다리지 말라고 아내에게 전화를 했습니다. 그때는 그곳에 끌려가면 죽거나 불구가 되어 나오던 시절이었습니다. 나는 그가 울며불며 무슨 일이냐고 물을 줄 알았더니 대리석처럼 찬 목소리로,

"집안 걱정하지 말고 몸조심해요."

하고 전화를 끊더군요. 아버지가 일제시대에 사회주의 계열 독립투사로 14년 동안 옥살이를 해서 남편이 경찰서 끌려가는 것은 일도 아니라고 생각했다더군요. 그리 독한 여자인 줄 몰랐습니다.

그런데 2012년 8월 30일 퇴직을 앞두고 흉흉한 소문이 돌더군요. 내가 더 있으려고 미적거린다는 것이었습니다. 아니나 다를까, 가장 막내인 젊은 교수가 내 방에 들어오더니 눈을 똑바로 뜨고,

"더 있으려고 수 쓰지 말고 좋은 말로 할 때 나가시죠."

하더군요. 그 사람이 채용될 때 제가 심사 위원이었습니다. 저는 명치가 막혀 아무 말도 못 했습니다. 이것이 한국에서 "그 잘난 대학"의 학풍인지, 아니면 그 젊은이의 개성인지는 아직도 잘 모르겠습니다. 그만한 나이의 내 자식들도 그 잘난 대학 졸업하여 국립대학 교수로 있는데 그 녀석들도 저럴까? 하는 생각이 들어 문득 무서움이 들었습니다.

나는 그 흔한 정년 퇴직 고별 강연이나 회식 한번 없이 일요일에 조용히 학교를 떠났습니다. 2012년 8월 5일, 일요일 아침, 나는 52년 동안 몸담았던 건국대학교 연구실에서 조용히 짐을 뺐습니다. 연

구실 문에 다음과 같은 편지를 붙여 놓고 학교를 떠났습니다.

　여러 선생님께,

　제가 정년 퇴직을 맞아 오늘로 학교를 떠납니다. 얼굴을 보며 이별의 말씀을 드리기가 괴로워 인사도 없이 떠납니다. 그동안 저에게 베풀어 주신 후의에 깊이 감사드리며, 혹시 저로 말미암아 마음을 다친 분이 계시다면 용서를 빕니다.

　아무쪼록 건강하시고 정진하시기 바랍니다.

　거듭 감사한 마음으로,

　　　　　　　　　　　　　　　　　　　　　　　　신복룡 드림

　　　　　　　　　　　　　　　　　　　　　　　　2012. 8. 5.

　정년 퇴직한 다음 날 아침에 눈 뜨면 뭘 하나? 꼭 죽을 것만 같던 백수의 아침은 그럭저럭 견딜 만했습니다. 책을 정리한답시고 미친 듯이 일을 했습니다.

　2013년 12월 23일에 대한민국역사박물관 개관 1주년 국제회의가 열렸는데 과분하게도 제가 기조 강연을 청탁받았습니다. 정말로 열심히 준비했습니다. 그런데 그 학술 논문이 단행본으로 출판되었는데 명색이 기조 강연인 저의 글이 빠져 있더군요.

　너무 어이가 없어 주최 측에 연유를 물었더니 그 잘난 명문대학 사학과와 역사교육과 교수들이 "이 중요한 논문집에 어떻게 건국대학교 교수의 글을 머리글로 실을 수 있는가?"라고 너무도 완강하게 반대하여 뺄 수밖에 없었다고 하더군요. 이것은 내가 대학 파벌(nepotism)로 겪은 가장 가슴 아픈 사연 가운데 하나였습니다.

2019년은 한국과 헝가리가 수교한 지 30년이 되는 해였습니다. 마침 한국에 부임한 초머 모세(Czoma Mozes) 대사는 대학원생 시절에 박사 학위 논문으로 『한국 분단의 문제』를 준비하고 있던 터여서 한국에 머무는 동안 나와는 자주 만나며 논문에 관하여 논의한 인연이 있어 자별한 터였고, 가족끼리도 왕래하는 사이였습니다.

마침 그때 한국정치학회에서 한국-헝가리 수교 30주년 기념 학술회를 준비하고 있었는데, 대화의 채널이 마땅치 않아 학회에서 나에게 주선을 부탁하기에 내가 나서서 일을 성사시켰습니다. 후원처는 외교부였습니다. 조선호텔에서 성대하게 행사를 마치고 만찬이 열렸습니다. 저는 별생각 없이 만찬장에 들어가려 했더니 외교부 직원이 저를 막았습니다. 저는 만찬 초대 대상이 아니라는 것이었습니다. 어느 대학 출신 외무고시 합격생이라더군요.

그들은 저들의 은사로 보이는 대학의 교수님들에게는 허리를 굽히며 자리를 안내하더군요. 나는 숨이 막히는 것 같았습니다. 내가 그 학회를 주선한 사람이 아니더라도 다른 대학 교수는 다 입장하는데 정년 퇴직을 한 학회 명예 이사가 건국대학교 교수라는 이유로 식당에서 쫓겨나던 그때의 일을 생각하면 지금도 살의를 느낍니다. 아마도 이 한(恨)은 내가 세상을 떠난 뒤에도 풀리지 않을 것입니다. 이제까지의 이야기는 저도 처음 털어놓는 신세타령이자 한탄입니다. 제 가슴을 열어 보면 한(恨)이 덩어리처럼 뭉쳐 까맣게 탔을 겁니다. 병사계 서기에게 집어줄 돈이 없어 부선망(父先亡) 4대 독자가 군대에 끌려가던 심정을 이해하실 수 있겠습니까?

비교가 송구스럽습니다만, 어느 날 제자들이 공자(孔子)께 여쭙기를, "선생님께서는 미천한 일에도 능한 것이 많다고 세상 사람들이 말

합니다."

하니 공자께서 대답하시기를,

"나는 젊어서 힘한 꼴을 너무 많이 겪어 그러노라."(『논어』「자한」: "吾少也賤 故多能鄙事")

라고 하셨습니다.

자랑처럼 들리는 대목이 있었다면 그것은 전혀 제 본의가 아니니 오해하지 마시기를 바랍니다. 그리고 자기가 마시던 샘에 침을 뱉는 이야기에 대해서도 저의 아픔을 헤아려 주시기 바랍니다. 초상집에 간 사람들은 왜 울까요? 제 서러움에 겨워 웁니다. 제가 방장님의 글과 최락헌 선생의 글을 읽으며 코끝이 찡한 것은 결국 제 서러움에 겨운 것이었을 것입니다. 그러니 이 글을 읽으시면서 방장님께서 이렇게 산 사람도 있구나, 여기면서 위로 받으시길 바랍니다.

방장님,

이제 털고 가십시다. "한 인생이 평생을 살아가면서 겪는 행복과 불행의 총량은 누구나 같다."는 것이 제가 슬픔을 겪을 때면 스스로 위로하던 말입니다. 이제 그 무겁던 서러움을 내려놓을 때가 된 것 같습니다. 가슴에 담고 있어야 병만 되지 않겠습니까?

이제 고맙고 아름답던 일만 회상하시지요. 삼성빌딩 뒤 어느 패스트 푸드점에서 방장님과 콜라 두 잔 시켜놓고 서로 울먹이던 시절이 그립고 아름다운 추억으로 남아 있습니다. 정신과 의사 천양곡 선생님의 위로도 감사하고 그립습니다. 얼마나 미칠 것 같았으면 그분을 찾아갔겠습니까?

방장님이 마음의 평정을 찾으시고 평화를 찾으시면 사모님의 건강도 많이 좋아지실 것으로 저는 확신합니다. 사모님 앞에서 추호도 시름에 젖는 모습, 낙담하는 모습, 지친 모습, 여린 모습을 보이지 않으시길 빕니다. 사모님의 병환에 너무 자책하지 마십시오.

저의 간절한 기도를 사모님께 전해 주시고, 밤샘하지 마시기를 바랍니다.

늘 감사한 마음으로,

신복룡 드림 2018. 11. 26. Marco Pen Club

굶주림

모자(母子)가 굶주림에 시달리다가 마지막 죽기 전의 환각 상태에 빠졌을 때, 먹을 것을 보면 어미가 자식의 것을 빼앗아 먹는다. 그 아이를 잡아먹을 수도 있다. 이를 가리켜 비정하다고 비난해서는 안 된다. 이것이 인생이다.(C'est la Vie!)

아버지가 무너진 사회

요즘 우리 사회에서는 남편 헐뜯는 프로그램이 TV 채널마다 널려 있다. 시청률도 제법 높단다. 그 프로그램이 여성들의 '속풀이'에는 '동치미' 국물처럼 시원할지 모르지만 그것을 보고 있는 자식들의 마음속에 자리 잡은 아버지의 모습은 어떨까?

이 사회가 이토록 타락한 이유야 어디 한두 가지일까만, 아버지가 무너지고, 그래서 아버지가 실종된 것이 중요한 이유일 것이다. 아내는 아이들이 보고 듣는 앞에서 남편을 향하여 "밥 먹어!", "왔어?"라고 소리 지른다.

이제는 모두가 외동딸이고 모두가 외아들이다. 큰아버지나 큰어머니도 없고 사촌도 없고, 조부모도 없는 시대가 오고 있다. 자식들이 잘못하면 야단치던 할아버지는 서울 생활이 싫어 농촌에 그대로 살고 있다.

행여 할아버지가 손주를 꾸짖다가는 며느리에게 자식 기죽인다고 핀잔을 듣는다. 학교에서 선생님이 몹시 꾸짖으며 행여 출석부로 등짝이라도 때리면 바로 핸드폰으로 경찰에 폭행 신고를 한다. 그러니 어찌 어른의 영이 서겠는가?

뉴코아백화점

강남에 가면 뉴코아백화점이 있었다. 강남에서는 알아주던 백화점이었다. 그 사장님은 아마도 김의철(?) 씨인가 하는 분으로 기억된다. 그분의 사업이 잘나가던 시절 (1981)에 우리나라의 금융제도가 전산화되고 통장이 보편화되면서 봉급이 온라인으로 통장에 입금되기 시작했다.

사람들은 간과하고 있지만, 이때가 한국 페미니즘의 한 고비였으리라고 나는 생각한다. 왜냐하면 이때부터 남편의 봉급이 투명화되었고, 내주장이 강한 가정에서는 부인이 봉급통장, 곧 경제권을 장악하기 시작했기 때문이다.

그 이전의 월급 봉투 시절에는 남자가 가불의 형식으로 얼마 정도

빼돌리고, 봉급에 산정되지 않는 수입금, 이를테면 교수에게는 초과 시간 강사 수당이나 입시 수당, 또는 회의비가 비자금의 역할을 했다.

그러다가 과외 수당마저 모두 부인이 쥐고 있는 통장으로 들어가자 남자들은 경리과에 봉급 이외의 수입은 별도로 지급해달라고 요구했지만, 회계처리상 그런 하소연은 받아들여지지 않았다. 이제 남편의 지갑은 유리 지갑이다.

그런데 그 무렵에 뉴코아백화점의 김 사장은 통장의 온라인 지급을 거절하고 1원까지 월급 봉투에 넣어 직원에게 지급했다. 경리과도 못 할 짓이었고, 우선 은행에서 전산 지급을 하도록 사정사정했지만 김 사장은 끝까지 월급을 현찰 봉투로 지급했다.

그의 논리에 따르면, 가장이 봉급을 타가지고 집에 돌아가 처자식을 앞에 놓고 "애비가 이렇게 열심히 살아 가족을 지키고 있다"는 것을 보여줘야 가장의 권위가 서는 것이지, 경제권이 모두 아내에게 넘어가 아침이면 몇 푼씩 타서 쓰는 꼴을 자식들이 보면 애비 영이 서겠느냐는 것이었다. 그는 그 회사가 경영난에 빠지고 소유권이 넘어갈 때까지 그 방법을 고수했다. 그가 시류를 역류한 것은 사실이지만, 근

"아버지는 혼자서 운다."(google)

본적으로 훌륭한 생각을 가진 분이라고 나는 아직도 기억하고 있다.

이 사회의 기본 가치는 가정이다. 그런데 그 가정이 지금 무너지고 있다. 그리고 사회가 무너지고 나라가 어지러워지고 있으니, 그 시작은 사소했으나 그 끝은 참으로 걱정스럽다. 성현께서는 "그 시작은 미약했으나 그 끝은 창대하리라"(「욥기」7 : 8)라고 말씀하셨는데 우리는 거꾸로 가고 있다.

미국의 소년들에게 누구를 가장 존경하느냐고 물으면 부모님 먼저이고, 그다음이 독립전쟁 때 싸운 할아버지이고, 그다음은 개척시대에 곰을 때려잡은 증조할아버지이다. 링컨(A. Lincoln)과 워싱턴(G. Washington)은 저 멀리 있다.

우리나라의 삶이 어렵다. 왜 그럴까? 첫째는 정치인을 잘못 뽑은 우리의 책임이지만, 깊이 들여다보면 아버지가 무너졌기 때문이다. 이제 머리 큰 자식을 나무라기 어려운 세상이 되었다. 돈 줄 쥔 엄마 말은 들어도 아버지는 우습게 안다. 이래서야 어찌 가정이 서고, 사회가 서고, 나라가 서겠는가?

어른 없는 사회의 업보가 지금 우리를 이렇게 옥죄고 있는 것이다. 나도 온라인 통장 이후 월급이 얼마인지 알지도 못하고 만져보지도 못한 채 퇴직했다.

불효자의 가슴속에 남은 모정

나는 고향에 대한 그리움이 없다. 고통스럽던 과거는 추억이 아니다. 1957년, 내 나이 열다섯 살 때 고향이 싫어 집을 떠나던 날, 나는 내가 손수 만들어 쓰던 책상을 부쉈다. 내 딴에는 없는 살림에 땔 감이라도 보탠다는 단순한 생각이었지, 내가 다시는 고향에 오지 않으리라는 무슨 그런 독한 마음이 있었던 것은 아니었다. 그때 문득 내 뒤에서 한 여인의 흐느낌 소리가 들려왔다. 어머니가 부엌문 뒤에서 울고 계셨다. 그것이 내가 처음이자 마지막으로 느낀 모정이었다.

나는 뇌졸중으로 10년째 병석에 누워 계신 어머니를 두고 미국 유학을 떠났다. 어느 날 추석 무렵 주말에 한국에서 전화가 왔다. 어머니가 세상을 떠났다는 것이다. 나는 울음도 나오지 않았다. 주말이어서 장례식에 맞춰 귀국할 비행기 표도 없고 돈도 없었다. 다음 날 나는 도서관에 갔다.

내가 중학교 시절, 시장통에서 공연하는 영화 한 편을 보았다. 미국 흑인 출신으로 UN 사무차장을 지낸 랄프 번취(Ralph Bunch) 박사의 일화였다. 그가 할머니 손에 크다가 하버드대학에 다닐 적에 할머니의 부음을 들었다. 그는 "할머니는 내가 장례식에 와서 울고 있기보다는 그동안에 한 자라도 더 공부하기를 바라실 거야."라고 말하면서 도서관으로 가던 영화의 장면을 지금도 기억한다, 그는 뒷날 팔레스타인 중재 문제로 1950년에 노벨 평화상을 탔다. 흑인으로서는 첫 수상자였다.

나를 그에게 비교하는 것이 송구하고 외람되지만 나에게 공부는 그렇게 한이 깊었다. 며칠 후 장례식 사진이 왔다. 열세 살짜리 아들이 굴건(屈巾) 상복을 입고 상주 노릇을 하는 모습을 보자 그제야 나는 통곡했다. 바닥에 흩어진 사진을 본 서양의 룸메이트들이 눈치를 채고 위로해 주었다. 어머니가 세상을 떠났는데 왜 자식의 모습을 보자 울음이 터졌는지……

길 떠나는 아들(遊子吟)

맹교(孟郊)

어지신 어머니 손에 바느질하시며

慈母手中線(자모수중선)

길 떠나는 아들이 입을 옷을 짓는데

遊子身上衣(유자신상의)

떠날 때 마디마디 촘촘히 꿰매는 것은

臨行密密縫(임행밀밀봉)

객지에서 늦게 돌아올까 걱정하심이라

意恐遲遲歸(의공지지귀)

이 한 치 풀잎만도 못한 마음으로

難將寸草心(난장촌초심)

춘삼월의 볕살 같은 어머니께 어찌 보답하겠는가?

報得三春暉(보득삼춘휘)

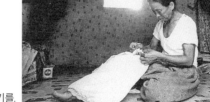

김운기 사진 〈바느질〉.
이 어머니의 앞날에도
저 창살의 햇살 같은 날이 오기를.

2007년 평양에서

2007년 추석 무렵에 평양을 방문했다. 김일성대학 부속병원 소아병동의 두유 공장 건축에 성금을 조금 보내 주었더니 준공식에 참석해달라는 초대를 받았다. 병실에는 초췌한 아이들이 나란히 누워 있었다. 각기 준비해간 작은 선물을 나누어 주었다.

그런데 일이 잘못되느라고 마지막 한 아이에게 줄 선물이 부족했다. 설사로 입원했다는 그 여자 아이의 눈에 눈물이 그렁그렁했다. 아무리 주머니를 뒤져도 줄 것이 없었다. 그렇다고 미화 몇 달러를 쥐어 주는 일은 암묵적으로 금지되어 있었다. 뒤돌아 나오며 바라보니 그 아이의 눈길이 슬픈 사슴 같았다. 그 눈길이 지금도 발에 밟힌다. 70년 전에 나도 미군 지프를 따라가며 소리친 적이 있었다.

"쪼꼬레, 기부 미."

그러나 나는 그 지프를 따라잡지 못했고, 초콜릿을 얻어먹지 못했다. 그리고 신작로에 주저앉아 떠나가는 그 차를 물끄러미 바라보며 훌쩍거린 적이 있었다. 평양의 그 소녀의 얼굴에 내 얼굴이 자꾸 겹쳐 보인다.

의식(衣食)이 넉넉해야

공산주의나 사회주의는 음지/습지 식물과 같다. 공산주의는 맑고, 밝고, 따뜻한 곳에서는 성장할 수 없는 세포이다. "인간은 자신의 삶이 가난하다고 여겨지면, 그 일상을 비난할 것이 아니라 당신

자신을 비난해야 한다."(R. M. Lilke)

가난의 죄와 벌

가난은 짓지도 않은 죄로 벌을 받는 것이다.

(Poverty is like punishment for a crime you didn't commit.)

- 카마로프(Eli Khamarov : 1948~?) : 러시아계 영국 작가

1957년에 내가 살던 청계천

"진지 잡수셨어요?"

우리가 어렸을 적, 만나면 시도 때도 없이 인사가 "밥 먹었니?" 또
는 "진지 드셨어요?"였다. 그만큼 우리에겐 먹는 것이 절실했다. 그

때 우리의 1인당 GNP가 65달러였다. 세계 10대 빈국의 하나였으니, 지금 아프리카의 최빈국과 같았다. 그런데 지금 1인당 GNP가 35,000달러란다.

"너희는 부모가 어떻게 살았는지 아느냐?"

검여(劍如) 유희강(柳熙綱) 선생을 추모함

검여 유희강

명필 검여(劍如) 유희강(柳熙綱 : 1911~ 1976) 선생이 노년에 뇌졸중으로 오른팔을 쓸 수 없게 되었다. 그런 상황에서도 그분은 피나는 노력으로 왼손 글씨(左手書)를 연습하여 3년 만에 오른손 글씨(右手書)의 경지에 이르렀다.

자, 우리가 여기에서 깊이 생각해 보자. 그분이, 아니 우리 같은 무리가 초보의 상태에서 3년 동안 오른손 붓글씨 공부를 아무리 열심히 했다고 한들 그분의 왼손 수준을 따라갈 수 있을까?

안 될 일이다. 이것은 무엇을 말함인가? 그의 글씨는 손으로 쓴 것이 아니라 혼(魂)으로 썼다는 것이다. 이것이 세상 사는 이치이다. 그리고 검여의 좌수서를 우수서보다 더 높이 평가하는 이유가 여기에 있다. 그러니 어찌 육신의 불편함을 탓하겠는가?

부자가 되는 길

한국에서 돈을 벌어 부자가 되는 방법은 다음의 일곱 가지가 있다.

첫째, 부모의 유산을 물려받는다.
둘째, 부잣집으로 시집/장가를 가 상속자가 된다.
셋째, 도적질/사기/강도질/조폭 낀 사채업을 한다.
넷째, 자수성가(自手成家)한다.
다섯째, 복권(福券)에 당첨된다.
여섯째, 유사종교를 만들어 교주가 된다.
일곱째, 정권을 잡아 치부하는 것이다.

이 가운데 복권의 확률이 가장 높고 자수성가의 확률이 가장 낮다. 통계적으로 볼 때 복권에 당첨된 사람의 말로가 모두 행복한 것은 아니다. 그들 가운데에는 알뜰하고 규모 있게 돈을 써 행복하게 산 사람이 없는 것은 아니지만 대체로 불행했다. 몇백억 원의 복권에 당첨된 그 경찰관은 바로 이민을 떠났다. 그가 지금도 행복한지 아니면 불행한지는 알려지지 않았다.

그러나 복권으로 말미암아 불행하게 된 그들 가운데 자신의 복권 당첨을 원망한 사람은 한 명도 없다. 그리고 그렇게 복권으로 말미암아 불행해진 사람을 보고 나에게는 복권이 당첨되지 않기를 바란 사람도 없다. 불행하더라도 다시 한 번 더 당첨되기를 바라면서, 지금도 줄을 서고 있다.

가난은 죄가 아니라지만

인생의 행복을 돈으로 살 수 있다. 여성의 경우에는 더 그렇다. 인생이 너무 가난하면 다른 덕성마저 빛을 잃는다. "가난하면서도 행복했던 사람"은 야만이거나 성자일 뿐이다.

"가난하면 형제도 멀어진다."(『구약성경』「잠언」19 : 7)

돈을 우습게 여기는 것은 허세이다.

"빚은 영혼을 파괴한다."(D. Casin, 『조선일보』, 2019. 6. 27.)

영국 인텔리겐챠(gentry)의 첫 번째 조건은 빚 없이 사는 경제적 여유(wide acres)이고, 그다음이 가문(birth)이고, 그다음이 나이(age)이고, 그다음이 교육(school)이고, 그다음이 명망(fame)이다.

"그대는 산중에 숨어 도(道)를 닦는 사람도 아니면서, 그토록 가난한 주제에 인(仁)을 말하는 것이 부끄럽지도 않은가?"(사마천의 『사기』「화식열전」)

이 말이 비수처럼 가슴에 꽂힌다.

행복을 돈과 연결하여 가장 독특한 말을 남긴 사람은 프랑스의 경제학자 다니엘 코엔(Daniel Cohen, 1953~2023)이다. 코엔은 프랑스계 튀

사마천(司馬遷)

니지 출신으로 파리고등사범학교와 낭테르(Nanterre)대학에서 공부하고 파리경제대학(PSE)의 교수로 재직하고 있다가 최근 세상을 뜬 인물이다. 그는 사르코지(Nicolas Sarkozy) 대통령의 동기로서, 대학

과 현장에서 막강한 영향력을 가진 경제학자였다.

다니엘 코엔

코엔은 "행복이란 처남보다 잘 사는 것"이라는 말을 남겼다. 나는 이 글을 처음 읽었을 때 머리가 띵 하고, 잘못 봤나 생각했다. 그런데 분명한 것은 웃자고 한 얘기가 아니었다. 그러면 그가 말하고자 하는 바는 무엇일까? 처남보다 부자여야 한다는 이야기는 결국 그래야 아내가 행복하다는 뜻인지, 아니면 나처럼 아내에게 눌려 산 서생에게는 처갓집보다 잘살아야 기를 펴고 산다는 뜻인지, 도무지 그 의중을 알 수 없지만, 오래 기억되는 논리임에는 틀림이 없다. 나는 아직 처남보다 더 부자가 아니어서 더욱 그렇다. 아내가 제 남편을 먹여 살리게 되면 분노와 뻔뻔스러움과 커다란 수치가 있을 뿐이다. (『구약성경』「집회서」25 : 22)

어쨌든, 학자에게 돈을 멀리하라는 것은 청빈하라는 것이지 가난이 미덕이라는 뜻은 아니다. 가난이 욕스럽다고는 생각해 보지 않았지만, 조금은 수치스러웠다. 초등학교 시절, 교실에서 도시락을 싸온 아이들이, 빈 밥공기를 들고 구호소의 죽(粥) 줄에 서 있는 나를 바라보는 눈길을 나는 견딜 수가 없었다.

조폭과 소실/창녀와 유사종교와 매국노와 NGO와 용병(傭兵)은 결국 그 "마법의 종잇장" 문제가 걸린 생계형이다. 이단 종교를 묶는 끈은 카리스마적 인간(교주)의 매력과 섹스와 돈과 치병(治病)이다.

마가렛 미첼의 충고

미국의 남북전쟁을 배경으로 한 마가렛 미첼(Margaret M. Mitchell)의 소설 『바람과 함께 사라지다』(*Gone with the Wind*, 1839)에서 버틀러 대위(Captain Butler)는 다음과 같은 대사를 남겼다.

큰돈을 버는 데에는 두 번의 기회가 있다.

첫째는 나라가 번창하게 일어설 때이고, 두 번째는 나라가 멸망할 때이다.

국가가 번영할 때는 수금이 느리고, 나라가 멸망할 때는 목돈이 들어온다.

"I told you once before that there were two times for making big money, one in the up-building of a country and the other in its destruction. Slow money on the up-building, fast money in the crack-up. Remember my words. Perhaps they may be of use to you some day." (Rhett Butler)

영화 〈바람과 함께 사라지다〉

갚을 돈과 받을 돈

왜 우리는 갚을 돈보다 받을 돈을 더 오래 기억할까?

자식이 문 열어놓고 잔다

세상에는 부모가 문 열어놓고 자식을 기다린다지만, 자식이 문 열어놓고 부모를 기다리는 경우도 많다. 그게 더 슬프다.

아들, 그리움인가?

나는 소싯적에 왕십리의 한 허름한 단독주택에서 살았다. 크지도 않고 화려하지도 않았지만, 오랜 시간 강사를 마치고 겨우 전임 자리를 얻어 평생 처음으로 내 집을 마련했던 그날 밤, 나는 잠을 이룰 수 없었다. 딸 둘에 아들 하나, 아내, 우리 다섯 식구의 삶은 무척 행복했다. 아이들도 건강했고 열심히 공부했으며 부모 속을 썩이는 일도 없었다.

마루에 작은 소파가 있고, 주말이면 그 좁은 위에 아들과 둘이 껴안고, 그 무렵 처음 시작된 프로 야구를 볼 때 나는 잠시 번뇌를 잊었다. 그때 아홉 살이었던 아들은 계속 조잘거렸다.

"박철순 선수는 얼마 전에 미국에서 왔는데, 연봉은 얼마이고, 지금 몇 연승중이고, 아마도 올해 MVP가 될 것 같고 ……."

그 뒤로 10년이 흘렀다. 아들은 훌쩍 애비보다 더 컸다. 어느 날 그는 어디를 다녀오겠다며 집을 나섰다. 공수여단에서 민간인을 상대로 교육하는 고공 낙하 훈련에 간다는 것이었다. 나는 위험하다는 걱정보다는 내 자식이 무척 자랑스러웠다. 4대 독자로 태어나 팔 다친다고 철봉에도 못 매달려 본 나에게 그 아들은 참으로 장하고 대견해 보였다. 언제인가 왕복 비행기 표에 1천 불을 들고 미대륙 횡단하겠다고 떠날 때도 걱정스럽지 않은 것은 아니지만, 나는 아들이 자랑스러웠다.

그 아들이 장가를 가고 내 품을 떠났다. 가끔 두 아이를 데리고 다니러 왔지만, 자식이 떠난 자리는 늘 적막했다. 그 뒤에 아들은 리먼 브러더스 사태로 사업에 실패하고 부모를 원망하며 내 곁을 떠나 소식도 모른다. 내가 한 학자로서 열심히 살아 소망을 이루었을지 모르지만 다 부질없는 일이었다. 내가 뭘 잘못 했을까? 내가 뭘 잘못 가르쳤을까? 내가 아들에게 들려준 말에 독이 묻어 있었던 것은 아닐까? 그것이 사무치게 후회스럽다.

모정(母情)의 세월

친구들의 모임에 다녀온 아내의 표정이 그리 밝지 않았다. 온갖 얘기를 다 털어놓았을 터이니 좋은 얘기만 나오지 않았을 것이고, 그 가운데에는 자기에게 찔리는 얘기도 있으려니 생각했다. 아내의 이야기인즉 이렇다.

한 친구가 큰마음 먹고 아들에게 자동차 한 대를 사 주려고 돈을 싸들고 의기양양하게 아들 집에 찾아갔다. 마침 며느리만 있었다. 그는 돈 보따리를 내놓으며, 차나 한 대 사라고 말했다. 그 여인은 며느리로부터 큰 치하를 들을 줄 알았다. 그러나 며느리는 감사하기는커녕 투정하는 투로 냉랭하게 말했다.

"이런 일이라면 온라인으로 부치시지 일부러 찾아오실 것까지야……."

시어머니는 명치가 막혀 더 말도 못하고, 식사하고 가라는 인사치레도 듣지 못한 채 집으로 오는데 눈물이 앞을 가리더란다. 아직도 우리나라에는 며느리의 남편이 자기 아들인 줄 알고 사는 사람이 많다.

학교에서 학생들에게 들은 이야기인데, 여학생들이 동아리에서 "가장 훌륭한 시아버지 감"과 "가장 훌륭한 시어머니 감"의 인기 투표를 했단다. 심사 결과 "연금 생활을 하며 손주에게 교육 보험 들어줄 능력 있는 남자"가 가장 훌륭한 시아버지로 뽑혔고, "아들 입맛에 맞는 반찬 만들어 아파트 경비실에 맡기고 그냥 돌아가는 여자"가 가장 훌륭한 시어머니로 뽑혔다며, 깔깔거렸다. 저들은 웃자고 하는 얘기겠지만 듣는 나는 가슴이 아리다.

요즘 아이들이 사귀다가 결혼할 뜻이 생기면 여자가 남자에게 묻는 첫 질문은, "너희 아빠는 연금이 나오니?"라는 말이란다. 나도 함께 허허거렸지만, 마음이 편치 않았다.

어느 날 아내가 다시 동창 계에 갔다가 돌아오더니 별 희한한 꼴을 다 보았다고 푸념했다. 왜 그러느냐고 물었더니, 신랑감과 신붓감에게 둘이서만 앉아 이야기를 나누라며 자리를 비켜 주었다. 그런데 아무리 기다려도 둘은 대화 없이 서로 핸드폰만 들여다보고 있었다.

그리고 얼마가 지나 둘이 일어섰다. 중매쟁이를 비롯하여 친정엄마도 함께 나오면서, 왜 이야기도 없이 핸드폰만 들여다보았느냐고 물었더니, 거북한 이야기는 카톡으로 나누어, 증거도 겸하여 남겼다고 대답하더라는 것이다.

문명이 바뀌어도 너무 바뀌었다. 문명이 불편하고, 그것이 삶을 메마르게 한다면 이것은 이기(利器)가 아니라 흉기가 아닐까?

가족, 아리고도 그리운 회한(悔恨)들

우리 시대, 우리 나이가 다 그렇듯이 우리에게는 맺힌 것이 너무 많고 화사한 그리움이 없습니다. 가난이 싫어 열다섯 살, 고향을 떠난 이후 나는 고향을 등지고 살았습니다. 외아들을 그리워하며 삽작을 내다보고 계실 명절의 어머니를 생각할 겨를도 없이 허둥대며 살았습니다. 그렇게 산 모진 인생에 대한 후회 때문에 지금도 울면서 잠듭니다.

이제 내가 그때 어머니의 연세를 훌쩍 넘겼습니다. 밖에 나갈 일이라고는 주일의 성당과 한 달에 한 번 가는 친목회와 혈압약 타러 갈 일밖에 없습니다. 기다림과 기쁨이라면 언제 손주들이 오려나? 하는 헤아림뿐입니다. 원고를 쓰는데 책상 밑에서 뭔가 꼬물거리더니 "여보" 하고 부릅니다. 네 살짜리 손주입니다. 제 할미가 나를 "여보"라고 부른다고 저도 나를 "여보"라고 부릅니다. 이럴 때면 아무리 원고 마감이 임박했다 해도 책장을 덮고 그 녀석과 뒹굽니다. 이것이 행복인가? 왜 그리 보고 싶지? 단순히 핏줄 때문일까? 아닙니다.

고대 중동의 리디아(Lydia)라는 나라는 일처다부제였습니다. 일부

다처제에서는 양친 부모가 확실하지만, 일처다부제에서는 아버지가 확실하지 않습니다. 그럴 때 아버지를 어떻게 결정하는가? 아이가 종종걸음을 칠 무렵이 되면 엄마는 남편들을 앞에 세워놓고 아이의 등을 밀어 품에 안기는 남자를 아버지로 결정합니다.

이는 매우 과학적이고 인간적이라고 헤로도토스(Herodotus)는 말했습니다. 왜냐하면 그 아이는 자기가 가장 사랑하는 남자, 자기를 가장 사랑하는 남자를 찾아갔기 때문입니다. 부모 자식에게 이보다 더 소중한 것이 무엇이냐고 헤로도토스는 묻습니다.

자식은 핏줄이라고요? 아닙니다. 보이지 않는 자식은 곁에 있는 이웃만도 못합니다. 부양하기로 약속하고 상속을 받은 다음 부모를 돌보지 않아 반환 소송을 하고, 계약서가 없다는 이유로 판사는 부모에게 패소 판결을 내렸습니다. 그 부모도 지혜롭지 않았고, 자식은 인면수심이었으며, 판사도 법리는 알았겠지만, 가슴이 따뜻한 사람은 아닙니다.

부모 자식 사이에 약속할 때마다 계약서 쓰고, 도장 찍고, 내용증명 보내는 세상이 되었습니다. 이 삭막한 삶에 우리에게 필요한 것은 정이지 혈육이 아닙니다. 서양 속담에 "눈에서 멀어지면 마음도 떠난다."(Out of sight, out of mind)라는 말이 있습니다. 그러므로 자주 찾아뵙고 전화라도 하는 것이 효도요, 도리입니다.

효도가 그렇게 어려운가? 병든 부모를 위해 손가락을 잘라 피를 흘려 넣고, 부모의 반찬을 집어 먹는다고 자식을 산에 내다 버린 신라 시대 손순(孫順)의 이야기는 이제 더 이상 우리의 미담이 아닙니다. 성현들은 효도를 말할 때 목숨 바쳐 부모를 봉양할 것을 권고하지 않았습니다.

세상은 많이 변했습니다. 할아버지·할머니의 성묘나 제사도 없어질 것입니다. 이제 우리는 고독과 이별을 연습해야 합니다. "내 자식은 그렇지 않을 거야."라고 장담할 일도 아닙니다. 그렇다고 자식을 원망할 일도 아닙니다.

이 시대의 젊은이들에게 당부하건대 당신들도 분명히 늙을 날이 있을 것입니다. 당신들의 자녀들은 부모가 할아버지와 할머니에게 한 대로 따라 할 것입니다. 내 경험에 따르면, 부모에게 지은 죄는 빌 곳이 없습니다. 그러므로 이번 주말에 꼭 부모님에게 전화하세요. 그러면 어머니가 마음에도 없이 그렇게 말씀하실 것입니다.

"얘야, 전화 요금 많이 나올라. 어서 끊어라."

그리고 나의 어머니가 그러셨던 것처럼 돌아서서 눈물을 훔치실 것입니다. 조금 더 목소리라도 듣고 싶었는데.

막내딸 혼사를 치른 뒤의 감사 편지

그간 별고(別故) 없으셨는지요? 봄도 없이 여름이 오더니 벌써 장마철입니다.

염려해주신 덕분에 지난번 저의 아이(나래)의 결혼식은 잘 치렀습니다. 하객(賀客)들께서는 축하한다고 말씀들을 하셨지만, 막내딸을 시집보내는 애비·어미의 마음은 그렇게 즐거운 것만은 아니었습니다. 세월의 흐름에 대한 무상함, 자식을 떠나보낸 뒤 되돌아보는 삶의 적적(寂寂)함, 그리고 아들 장가보낼 때의 기쁨과는 달리 딸 가진 부모로서의 안쓰러움이 머리를 스쳐 갔으며, 옛 어른들께서 딸자식을 출가시키며 "딸을 여의었다"고 하신 말씀의 뜻을 어슴푸레나마 이해할 수 있을 것 같았습니다.

새들도 자식들이 둥지를 모두 떠나고 혼자 우두커니 앉아 있을 때 느끼는 서글픔이 있는데 이를 "빈 둥지 증후군"(empty nest syndrome)이라고 한답니다. 미물(微物)도 그렇거늘 사람의 심정이야 오죽하겠습니까? 하객께서는 "축하한다"고 덕담하시지만, 막상 막내 녀석 보내놓고 문득 내 인생을 돌아보니 벌써 눈앞에 정년이 기다리고 있습니다. 인생이 그렇게 빨리 지나갔습니다. 그동안 무엇을 했는지······. 이룬 것 없이 나이 먹은 삶에 대한 부끄러움이 가슴을 누릅니다.

변명의 말씀이 아니오라, 세 번째 결혼이어서 좀 편할 줄 알았으나 여전히 경황이 없었습니다. 청첩장을 보내는 일부터 두서(頭序)를 차릴 수가 없었습니다. 오랫동안 연락도 없던 터에 고지서 보내듯이 불쑥 청첩장을 보내 드리기도 주저스러웠고, 그렇다고 연락드릴 만한 분께 소식도 없이 혼례를 치르는 것도 결례(缺禮)일 것 같아 어찌할 바를 몰랐습니다.

오뉴월에는 딸네 집에 가기도 귀찮다는데, 교통도 복잡한 도심의 식장에 모신 것도 송구스러웠고 예식장에서는 변변히 인사도 못 드렸는데 의외로 하객이 많이 오셔서 식사나 제대로 하셨는지, 챙겨드리지 못했습니다. 60을 훌쩍 넘긴 나이인데 아직도 모르는 것이 많아 저지른 실례를 널리 용서해 주시기 바랍니다.

아이들 내외는 곧 미국으로 들어가 대학에서 학업을 계속할 예정입니다. 혼자 보내는 것보다는 걱정을 덜 하게 되어 기쁩니다. 차후에도 철부지들이 살아가는 모습을 지켜보아 주시고 늘 아껴 주시기를 부탁드립니다. 그동안 베풀어 주신 후의(厚誼)를 평생 마음의 빚으로 알고 살아가겠습니다. 댁내에 대소사가 있을 때 꼭 연락해 주시어 보은(報恩)할 기회를 주시기 바랍니다.

댁내 평안하시기를 비오며, 일일이 찾아뵙지 못하고 글로써 인사드림을 용서하시기 바랍니다.

2006. 6. 30.

왕들은 왜 단명했나?

역대 왕들은 단명했다. 왜 그랬을까? 기록에 따르면, 과식과 과영양, 운동 부족, 과색(過色), 그리고 저항력의 쇠약 때문이었다. 조선왕조의 경우 27명의 왕이 518년을 다스렸으니 평균 19.2년 동안 왕위에 있었다.

그 무렵의 기준으로 볼 때, 한 인간은 대체로 40세 전후에 부모와 사별하며 그 뒤 25년을 더 살 수 있다. 이 말은 순탄한 왕위 계승이었다면 재위가 통상 25년은 되어야 했다는 뜻이다. 그러나 조선의 왕들은 그 절반도 살지 못했다. 통일신라 왕의 재위는 평균 10.1년이었다. 제 명대로 살다가 죽은 왕이 없었다.

와사등(瓦斯燈, 가스등)

김광균(金光均)

차단~한 등불이 하나 비인 하늘에 걸려 있다.

내 호올로 어델 가라는 슬픈 신호냐.

긴~여름 해 황망히 나래를 접고

늘어선 고층 창백한 묘석같이 황혼에 젖어

찬란한 야경 무성한 잡초인 양 헝클어진 채

사념의 벙어리 되어 입을 다물다.

피부의 바깥에 스미는 어둠

낯서른 거리의 아우성 소리.

까닭도 없이 눈물겹고나

공허한 군중의 행렬에 섞이어

내 어디서 그리 무거운 비애를 지고 왔기에

기일게 늘인 그림자 이다지 어두워

내 어디로 어떻게 가라는 슬픈 신호기

차단~한 등불이 하나 비인 하늘에 걸려 있다.

(일부는 현대 맞춤법으로 고침)

인생에 필요한 덕목으로서 "ㄲ"으로 이루어진 단음절 단어

깜(1) : 그릇이 되어야 한다. 인간은 그릇에 넘치게 물을 담을 수 없다.

깜(2) : 일깜이 있어야 한다.

깡 : 독해야 한다. 세상은 그리 녹록하지 않으며, 싸움에는 정의가 이기는 것이 아니라 더 독한 녀석이 이긴다. 국가도 마찬가지 이다. 위대하고 성공한 정치인은 "합리적 독종"이었다.

깸 : 늘 깨어 있어야 한다. 사찰의 목어(木魚)는 왜 붕어인가? 잠을 잘 때도 눈을 뜨고 있기 때문이다. 예수께서도 잠에 취한 제자들을 꾸짖으셨다.(「마테오복음」25 : 6)

꼭 : 맺고 끊음이 정확해야 한다. 약속은 반드시 지켜라.(*pacta sunt servanda*)

꼴 : 신언서판(身言書判)이 번듯해야 한다. 입은 거지는 얻어먹어도 추루한 거지는 얻어먹을 것이 없다.

꽉 : 기회가 왔을 때 온 힘을 써 잡아야 한다.

꾀 : 속지 말아야 한다. 그것이 지혜이다.

꿈 : 유혹을 견뎌야 한다.

꾼 : 그 분야에 전문가가 되어야 한다.

꿈 : 야망 찬 젊은이가 아름답다.

끈 : 세상살이는 인연이다. 특히 헤어지는 인연을 소중하게 여겨야 한다. 비빌 언덕이 없다는 것은 이 험한 세상을 살기에 매우 나쁜 조건이다.

끼 : 자기의 분야에 신명이 있어야 한다.

낌 : 어느 줄에 설 것인가?

나라가 어려워질 때 나타나는 공통된 현상

1) 무당과 점집이 분주하다. 지금 김정은의 운명이 어찌 될지를 아는 사람은 무당과 점쟁이밖에 없다. 이를 우발이론(contingency theory)이라 부른다.

2) 술과 담배가 많이 팔린다. 한일축구전을 하면 한국이 졌을 때, 술이 더 많이 팔린다. 한국인의 음주는 홧술이 더 많다. 속상한 일이 있으면 흡연자는 먼저 담배에 손이 간다.

3) 국가 원수의 임기 3년 차가 되면 내치보다 외치가 더 중요하다며 일 년에 몇 차례 해외 순방을 한다. 순방하는 나라는 대체로 유명 휴양지이다. 관광지와 파티에서 찍은 그 여인의 옷과 표정이 화사하다.

4) 세상 사람들 모두가 삶이 어렵다는데 집권자만 지표가 좋아지고 있다고 우긴다. 밖으로 새는 돈이 많아진다.

5) 같은 사건을 놓고 두 진영이 칼로 벤 듯이 갈려 싸운다. 한 진영에서 입을 맞춘 듯이 똑같은 목소리로 외쳐댄다. 이탈자가 하나도 없고, 다른 목소리를 내는 사람이 하나도 없다는 것이 기이하다.

6) 침묵하는 지식인이 늘어난다.

목수의 세 가지 연장

나는 사찰에 자주 찾아간다. 불심이 있어서가 아니라, 속진(俗塵)을 털어내는 데 사찰만 한 곳이 없기 때문이다. 강진 만덕산(萬德山) 백련사(白蓮寺)를 찾아가 원교(圓嶠) 이광사(李匡師)가 쓴 대웅전 현판

목수의 손

앞에 앉아 넋 나간 사람처럼 몇 시간을 바라보아도 지루하지 않다.

운이 좋은 날은 대목수가 대웅전이나 별전을 짓는 모습을 볼 수 있다. 나는 늙어 가회동이나 삼청동의 작은 한옥에 살며 손주들과 함께 놀고 싶었지만, 그 꿈을 이루지 못했다. 그런 미련 탓인지 한옥 탐방이나 한옥 건축 현장을 보면 마냥 앉아 구경한다.

언제인가 한옥 짓는 목수와 이런저런 이야기를 하다가 들은 이야기인데, 목수에게 가장 소중한 연장 세 가지를 치라면 무엇일까? 망치를 먼저 생각하겠지. 톱도 중요하다. 그런데 그게 아니었다. 목수의 삼대 연장은 첫째가 먹줄[墨尺]이고, 둘째가 끌[釺]이고, 셋째가 대패란다.

그 말을 듣고 보니 그럴 것 같았다. 그런데 그 첫째가 먹줄이라니, 잘 이해가 가지 않았다. 내가 이 점을 기이하게 생각한 데에는 다른 뜻이 있다. 다 잘 아시다시피, 자[尺]를 영어로 말할 때는 ruler라 한다. 왜 자(ruler)가 통치자(ruler)와 같은 뜻일까 하는 것이 서양인의 인식에 대한 나의 의문이었다.

그래서 얻은 결론이, 자는 곧아야(直) 한다. 자는 누구에게나 변함없이 공정하고(正) 정확해야(定) 한다. 공자(孔子)의 말씀에 따르면,

"정(政)은 정(正)이다."(『논어』 「안연」 : "政者正也")

그러므로 자와 정치는 같아야 한다는 뜻이 아니었을까? 그러니

한국의 정치인들은 책상 치며 소리만 지르고 빨대 꽂을 곳만 찾을 것이 아니라, 목수에게 찾아가 더 배워야 한다.

"그러므로, 너희는 재판할 때나 물건의 길이를 재고 무게를 달고 곡물을 될 때 부정하게 하지 마라. 바른 저울과 바른 추를 써야 한다." (『구약성경』「레위기」 19 : 35~36)

새들도 저토록 정연하게 나는데 (사진 : google)

저 미물의 새들도 길 없는 길을 저토록 정연하게 가는데,
인간은 길(道)을 두고도 왜 미친놈들처럼 비틀거리는가?

(순천만 철새도래지에서 2023. 12. 9.)

대통령의 금도(襟度)

한 나라의 대통령이 탄핵을 받아 마땅한지 아닌지에 대해서는 생각이 서로 다르다. 그러나 나는 그가 대통령으로서 부적절하게 처신했다고 생각한다.

2016년 8월 28일 자 천주교 의정부교구 '매일 미사 주보'의 발표에 따르면, 대통령이 총애하던 사람이 당 대표가 되었을 때 마련한 당직자 축하 파티에는 프랑스에서 수입한 송로버섯이 나왔는데, 그 값이 900g에 1억6천만 원이었고 영국을 국빈 방문할 때 정장이 일곱 캐비넷이었다고 한다. 당시의 보도를 나는 납득할 수 없다.

나라가 어려우면 왕도 반찬을 줄였다.(『태종실록』 2년(1402) 7월 3일) 박정희(朴正熙) 대통령은 양곡을 아낀다고 국수를 말아 먹었고, 물값을 아끼느라고 청와대 변기에 벽돌 한 장을 넣었다.(Don Oberdofer, *Two Koreas*, 2001, p. 36) 그는 한국의 그 많은 대통령 가운데 조국을 걱정하며 밤잠을 설치고 눈물지은 유일한(?) 대통령이었다.

그런 선대에게서 우리는 무엇을 배웠나? "나는 치부하지 않았다"는 말이 맞을 수는 있지만, 송로버섯 잔치는 국가 원수의 금도(襟度)가 아니다. 정치인들이 벼슬을 호강하는 자리로 여길 때 국민은 더 힘들다.

착하게 살아서는 안 되는 나라

착하게 살지 말고 지혜롭게 살아야 한다. 세상에는 뒤에서 총을 쏘는 적군도 많다. 나는 그들의 공격을 받으며 80년을 살아왔다. 그들의 손에 위해(危害)를 겪은 뒤에 저들이 나쁜 놈들이라고 말하는 것은 부질없는 짓이다.

솔로몬(Solomon)의 글에는 착하게 살라는 말보다 지혜롭게 살라는 말이 더 많다. 나는 명경지수(明鏡止水)나 흰 비단처럼 맑게 살지 못했으니, 죄지은 적이 왜 없었겠는가? 그러나 나는 길을 가면서도 개미를 밟지 않으려고 조심스럽게 걸었다. 그럼에도 나는 그리 다복하지 못했다. 인생은 착하게 산다고 복 받는 것이 아니더라.

강의실에서 "착하게 살지 말고 지혜롭게 살아라."라고 말했더니 어느 학생이 불쑥 물었다.

"그렇다면 지혜로운 삶은 어떤 것입니까?"

예상된 질문이 아니어서 나는 잠시 당황했다. 그러다가 정신을 가다듬고 이렇게 대답했다.

"첫째는 악인에게 지지 않는 것이다. 비겁자에게 지고 '저놈이 나빴어.'라고 말하는 것은 구차하다. 등에 칼을 맞고 비척거리는 것은 그에게도 책임이 있다.

둘째는 가난하지 않게 사는 법을 익히는 것이다. 공자 같은 성인께서도 말씀하시기를, "가난하고 천박한 것은 부끄러운 일이다.(貧且賤焉 恥也 : 『論語』 「泰伯」), 가난하면서 원망하지 않으며 사는 일이 쉽지 않다."(貧而無怨 難 : 『論語』 「憲問」)고 하셨다.

셋째는 가슴에 연민을 품어야 한다. 사람 냄새(human scent)가 나지 않는 사람은 목석이다. 보듬으며, 더불어 살며, 베풀 줄 아는 것이 진정한 지혜이다.

"전사는 죽은 자리에 묻는다"

혁명의 와중에서 헤어졌던 모택동(毛澤東)이 아들 모안영(毛岸英)을 만나자 혁명가의 아들은 농민을 알아야 한다며 시골 가서 농사를 지으라고 말한다. 모안영이 열심히 고구마 농사를 지어 아버지를 뵙고 인사를 드리니 모택동은 고구마를 쳐다보지도 않고 손을 보자고 한다. 그리고 이렇게 말했다.

아내 유송림, 모안영, 동생 이눌(李訥)*

"열심히 살았구나."

그리고 중국 제일의 미녀 배우 유송림(劉松林)과 결혼시켰다. 그런 신혼 상황에서 한국전쟁이 일어났다. 모택동이 아들에게 말했다.

"전쟁이 나면 지도자의 아들이 먼저 가야 한다."

포로가 되면 난처하다며 참모들이 말리자 모택동이 이렇게 말했다.

"그는 모택동의 아들이다."

그리고 모안영은 한국전쟁에 지원하여 평안북도 동천군(東川郡)에서 복무했다. 그런데 어찌 알았는지 미군이 조준 폭격을 하여 모안영이 죽었다. 중공군 사령관 팽덕회(彭德懷)는 차마 모택동에게 연락하지 못하고 주은래(周恩來)에게 연락했고, 그가 며칠을 괴로워하다가 모택동에게 보고했다.

"안영이 전사했습니다."

모택동이 한참 만에 입을 열었다.

"시신은 확실하던가요?"

그는 자식을 잃은 아픔을 그렇게 표현했다. 그도 한 자식의 아버지였다.

"예. 고향에 묻어줄까요?"

"아니요. 전사는 죽은 자리에 묻어주는 게 영광스럽소."

그래서 모안영의 무덤은 지금도 죽은 자리에 있다.

조금 높아지면 아들 병역 면제시키려고 온갖 진단서 다 제출한다. 3천만 원짜리 신체검사를 받으면, 무슨 병이든 잡아내어 병역이 면제된다고 한다. 할 수 없이 입대하면 후방 병원에 하염없이 입원시켜 쉬게 하는 이 나라 지도자들과는 많이 다르지 않은가?

* 이눌(李訥)은 모택동의 딸이었음에도 혁명기에 은신을 위해 이(李)씨 성을 썼다.

출향시(出鄕詩)

석월성(釋月性)

장부가 뜻을 세워 고향을 떠나니

男兒立志出鄕關(남아입지출향관)

학문을 이루지 못하면 죽어서도 돌아오지 않으리라

學若不成死不還(학약불성사불환)

내 뼈를 묻을 곳이 어찌 부모 곁뿐이랴

埋骨豈期先塋側(매골기기선영측)

인간의 발길 닿는 곳이 모두 청산이거늘

人間到處有靑山(인간도처유청산)

* 월성(月性, げっしょう : 1817~1858): 일본 에도(江戸) 시대(幕末)에 존황양이파(尊皇攘夷派)의 승려로서 지금의 야마구치현(山口縣) 묘엔지(妙圓寺)의 주지였다. 이름은 싯소우(實相)이며, 자(字)는 지엥(知圓)이고, 세이키요우(淸狂)라는 호를 썼다. 죽어서 증정사위(贈正四位)를 받았다. 위의 시는 그가 꿈을 찾아 동쪽으로 떠나며 벽에 적어놓은 시(將東遊題壁)이다. 많은 사람이 이를 일제 강점기 우리의 애국 시로 잘못 알고 기념관에 돌로 새겨 붙였다.

탐라로 귀양 가는 길에[濟州謫中]

광해군(光海君)

바람 불고 비 오는 날 성문을 나서려니

風吹飛雨過城頭 (풍취비우과성두)

병날 것 같은 찌푸린 날씨만이 성루에 맴도네

瘴氣薰陰百尺樓 (장기훈음백척루)

창해의 성난 파도는 어슴푸레 노을에 비치고

滄海怒濤來薄暮 (창해노도래박모)

푸른 산에는 서글픈 산색이 가을 정취를 둘렀구나

碧山愁色帶淸秋 (벽산수색대청추)

고향에 있는 손주 생각에 궁궁이[蘼蕪]*만 실컷 쳐다보다가

歸心厭見王孫草 (귀심염견왕손초)

나그네 꿈속에 한양만 봐도 놀라 일어나

客夢頻驚帝子洲 (객몽빈경제자주)

되놈들 쳐들어와 나라는 어찌 되었는지 소식조차 모르는데

故國存亡消息斷 (고국존망소식단)

연무 낀 강에 돛단배만이 외롭게 누워 있네.

煙波江上臥孤舟 (연파강상와고주)

* 궁궁이[蘼蕪] = 한(漢)나라 때 회남소산(淮南小山)에 살았던 초은사(招隱士)의 시에 "왕손은 노니느라 돌아오지 않고, 봄 풀만이 무성함이여"(王孫游兮不歸 春草生兮萋萋)라는 시에서 연유하여 손주가 그리울 때면 생각나는 풀. 옛날에 중국의 소년들이 좋아했는데 우리나라에서는 궁궁이라 부른다.

광해군이 병자호란 때 교동(喬桐)에서 제주로 옮겨가면서 지은 시인 듯하다. 나는 광해군에게 깊은 연민을 느낀다. 조선왕조에서 외치에 가장 탁월했던 그는 수신제가(修身齊家)를 못하여 폐위되는 비운 속에 비참하게 일생을 마쳤다. 외치가 내정에 앞설 수는 없지만, 그가 폐출되지 않았더라도 병자호란이 일어났을까? 부질없는 생각이 아니다.

국가의 힘

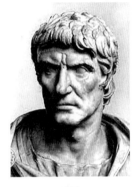

술라

"국경 문제에 관하여 누구의 말이 옳은지를 결정해 주는 것은 칼이다." (『플루타르코스영웅전』 「술라」)

국경에는 영토 효용 체감의 법칙이 적용되지 않는다.

예수께서 가르침을 받고 각지로 선교를 떠나는 제자들에게 이렇게 말씀하셨다.

"이제 돈주머니와 여행 보따리를 가지고 있는 사람은 그것을 챙기고, 칼이 없는 사람은 겉옷을 팔아서 칼을 사시오."(「루카복음」22 : 36)

예수께서는 전교를 떠나는 제자들에게 『성경』을 챙기라는 말씀을 안 하시고 왜 칼을 장만하라고 말씀하셨을까?

부패

민주주의의 꽃이라던 그리스/로마 시대의 민중들도 돈주머니를 흔드는 정치인을 선호했다. 민중은 돈을 더 많이 들고 흔드는 쪽으로 갔다.(『플루타르코스영웅전』,「브루투스」§ 23) 제정 로

부패 : 그 마법의 종이

마 시대에 폼페이우스(Marcus Pompeius)가 뇌물로 선거인단을 매수하자 카토(Cato, the Younger)가 분노하여 저항했다. 이때 민중들은 폼페이우스에게 분노한 것이 아니라 선거의 매수를 막은 카토에게 분노했다.

"받아먹고 바르게 찍으면 될 거 아니야?"

유권자의 이 말은 믿을 게 못 된다. 역사에는 아직 그런 사례가 보고된 바 없다. 먹은 무리는 말이 없다. 몇만 원에 영혼을 파는 민족은 역사에 흔히 있었다. 우리도, 어쩌면 나도 그 가운데 하나일지 모른다. 경기도에 사는 우리도 재난지원금 47만 원에 영혼을 판 적이 있다. 그러고도 자신의 선택을 후회하지 않았다. 주지 않고 패배한 야당을 탓했다.

왜 국가는 멸망하는가?

포키온

포키온(Phocion : ?~기원전 318년경)의 말을 빌리면, 정치인이 부패하지 않고, 부자가 돈을 숨기지 않고, 젊은이가 나라를 사랑하는 데에도 멸망한 나라는 일찍이 역사에 없었다.(『플루타르코스영웅전』「포키온」§ 24)

포키온에게 뇌물을 먹이는 것은 성을 함락하기보다 어려웠다. 멸망한 나라들은 그 반대의 길을 갔다. 그런 점에서 지금 한국은 멸망하기에 딱 좋은 조건을 두루 갖추었다.

정치인은 부패했고, 재벌은 탐욕스러워 대금을 체불하고 있으며, 젊은이는 군대에 가지 않으려고 손가락을 자르고 도지사에 출마한다. 이런 나라가 어찌 온전할 수 있겠는가? 이런 나라가 그렇지 않은 나라에 멸망되는 것은 역사의 순리이다.

절명시(絶命詩)

황현(黃玹)

새와 짐승도 슬피 울고 바다와 산도 낯을 찡그리는데

鳥獸哀鳴海岳嚬(조수애명해악빈)

무궁화 이 나라는 이미 더럽혀졌도다

槿花世界已沈淪(근화세계이침륜)

가을 등불 아래 책을 덮고 천년의 역사를 돌아보니

秋燈掩卷懷千古(추등엄권회천고)

이 난세에 배운 값하며 살기가 이토록 어렵단 말인가?

難作人間識字人(난작인간식자인)

조금 부족한 듯할 때 멈춰야

노자(老子)

老子

물을 담아 마시던 빈 병을 헹굴 때, 물을 가득 채워 흔들어서는 안을 닦을 수가 없다. 60~70%의 물을 담아 흔들 때 가장 잘 씻긴다. 왜 그럴까?

일본 사람들은 "쓰루노 시치부"(鶴 の七部)라는 말을 한다. 천년을 산다는 학은 위장(胃腸)의 70% 이상을 채우지 않는다는 뜻이다. 그러니 자동차에 기름을 넣으면서 "가득 채워 주세요."라는 말이 얼마나 미련스러운가? 인생에서도 마찬가지이다. 70%, 좀더 욕심을 낸다면 75%를 채웠을 때 멈춰야 하지 않을까?

우리 모두가 '위대한 개츠비'(The Great Gatsby)처럼 살 수는 없다. 높은 곳에서 떨어질 때 치사율이 더욱 높다. 노자(老子)께서 말씀하시기를 "분수를 지키며 만족할 줄 알라."(守分知足)고 하셨는데, 그것이 얼마나 어려운가? 71%를 달성하려고 아등바등할 때부터 인간의 죄는 누적되기 마련이다.

나는 한국 현대사, 특히 남북 분단과 한국전쟁사를 공부할 때면, 맥아더(Douglas MacArthur)가 1950년 10월 하순에, 북위 41° 부근의 대동강-원산만을 잇는 선에서 북진을 멈추고 휴전 협상을 받아들였어야 한다고 생각한다. 그렇게 하는 것이 스스로를 동양의 카이사르(Julius Caesar)라고 여긴 그에게는 마음에 차지 않는 일이었겠지만, 남북한은 지금처럼 적대적으로 분단을 지속하지는 않았을 것이다. 한국전쟁의 마무리에는 분명히 맥아더의 허영과 과욕이 저지른 착오가 있었다.

중국인의 상술

"조금 밑지는 듯할 때 팔고, 조금 비싼 듯할 때 사라."

왜 한국의 기업은 도산하는가?

해방 이후 활기차게 성장하다가 갑자기 도산한 기업이 여러 곳이다. 그들의 도산 이유를 살펴보면, 세계 경기의 위축이라든가, 삼고(三高) 현상이라든가, 아니면 거래처 국가에서 갑자기 전쟁이 일어나는 것과 같이, 외부의 요인에 의한 것이 아니라, 대부분이 내부의 분란으로 도산했다. 이를테면 첩실과 장자의 다툼, 서출과 적자(嫡子)의 다툼, 또는 재산 분배의 불만으로 말미암은 형제의 다툼으로 도산했다.

가정이 화목한 집안은 그리 쉽게 도산하지 않는다. 그래서 수신제가(修身齊家)라는 말이 맞는다. 그 점에서 국가의 멸망도 마찬가지이다. 그러기에 맹자(孟子)께서는 이렇게 말씀하셨다.

"한 나라가 멸망하는 것을 보면 스스로 멸망할 짓을 한 연후에 다른 나라가 쳐들어와 그 나라를 멸망시킨다." (『孟子』:「離婁章句」(上) :"國必自伐然後人伐之")

한국 사회에서의 3대 거짓말

1) 우리 집 아이들은 평생에 부모의 속을 썩인 적이 한 번도 없다.
2) 우리 부부는 평생에 싫은 소리 한 번 안 하고 살았다.
3) 가난했지만, 그때가 지금보다 더 행복했다.

나의 유언장

연곡사 동탑 부도 앞에서

내가 세상을 떠나면 장례는 단출하기 바란다. 고별 미사에는 천주교 성가 423번을 불러 주기 바란다. 내가 운명할 때 내 몰골이 추악하다면 손주들이 임종에 참석하지 않기 바란다. 나는 그들에게 추루한 기억을 남겨 주고 싶지 않기 때문이다. 나의 사랑하는 손자·손녀들이 할아버지를 아름답게 추억으로 기억했으면 좋겠다.

부고(訃告)는 장례 다음에 신문으로 알리고, 부의금이나 조화를 받지 말아라. 부고에는 "나를 사랑해 준 사람들에 대한 감사와 나로 말미암아 상처 입은 분들에 대한 용서를 비는 글"을 넣어 주기 바란다.

장례용품은 비싸지 않아야 하며, 곧 썩을 관은 얇고 싼 것으로 쓰고, 수의는 쉽게 분해되는 평상복으로 하되 따로 장만하지 않기 바란다. 염습(殮襲)을 하지 말아라.

형제 사이에 화목해라.

아내가 내 곁에 눕기 바란다. 실묘(失墓)를 하지 않도록 간단한 비석 하나만 세우고 그 밖의 석물(石物)을 쓰지 않기 바란다. 국립묘지에 묻히고 싶었지만, 나에게는 그럴 만한 공업(功業)이 없으니 어쩌랴?

묘비명(墓碑銘)은 누운 비에 이렇게 써주었으면 좋겠다.

여기 조국과 학문과 자손을 위해 열심히 살다간
신복룡(申福龍) 잠들다.
공부하고 싶어 어찌 차마 눈을 감았우?
1942년 5월 5일~20??년 ?월 ??일
아내 최명화 씀

아버지 신성천, 어머니 권옥순
아들 나라, 며느리 배윤희
친손자 호련, 친손녀 수련
큰딸 나리, 큰사위 최승진
외손녀 서은, 외손자 서준
작은딸 나래, 작은사위 이영수
외손자 재인과 재희

어쩔 수 없이 매장법에 따라 나의 무덤을 없애야 할 때가 오면, 지리산 연곡사(鷰谷寺) 동탑 부도 뒤의 둔덕에 재를 뿌려 주기 바란다.

신복룡의 자전 에세이

인생은 찬란한 슬픔이더라

초판 발행   2024년 2월 29일

초판 2쇄 발행 2025년 1월 10일

지 은 이   신복룡

펴 낸 이   김예옥

펴 낸 곳   글을읽다

          16007 경기도 의왕시 양지편로 39-7

          등록 2005.11.10. 제138-90-47183

          전화 031)422-2215, 팩스 031)426-2225

          이메일 geuleul@hanmail.net

표지 및 본문 디자인   곽유미(디자인이즈)

ISBN   978-89-93587-32-6 03040